新潮文庫

風立ちぬ・美しい村

堀　辰雄著

新潮社版

140

目次

風立ちぬ・美しい村

美しい村

天の灝気《こうき》の薄明《うすあかり》に優《やさ》しく会釈《えしゃく》をしようとして、
命の脈が又《また》新しく活潑《かっぱつ》に打っている。
こら。下界。お前はゆうべも職を曠《むなしゅ》うしなかった。
そしてけさ疲《つかれ》が直って、己《おれ》の足の下で息をしている。
もう快楽を以《もっ》て己を取り巻きはじめる。
断《た》えず最高の存在へと志ざして、
力強い決心を働かせているなあ。

ファウスト第二部*

序曲

六月十日　K…村にて*

御無沙汰《ごぶさた》をいたしました。今月の初めから僕《ぼく》は当地に滞在《たいざい》しております。前からよく僕は、こんな初夏に、一度、この高原の村に来てみたいものだと言っていましたが、やっと今度、その宿望がかなった訣《わけ》です。まだ誰《だれ》も来ていないので、淋《さび》しいことはそりあ淋しいけれど、毎日、気持のよい朝夕を送っています。

しかし淋しいとは言っても、三年前でしたか、僕が病気をして十月ごろまでずっと一人で滞在していたことがありましたね、あの時のような山の中の秋ぐちの淋しさとはまるで違《ちが》うように思えます。あのときは籐《とう》のステッキにすがるようにして、宿屋の裏の山径《やまみち》などへ散歩に行くと、一日毎《ごと》に、そこいらを埋《うず》めている落葉の量が増える一方で、それらの落葉の間からはときどき無気味な色をした茸《きのこ》がちらりと覗《のぞ》いていたり、或《あるい》はその上を赤腹（あのなんだか人を莫迦《ばか》にしたような小鳥です）なんぞがいかにも横着そうに飛びまわっているきりで、ほとんど人気《ひとけ》は無いのですが、それでいて何だかそこら中に、人々の立去った跡《あと》にいつまでも漂《ただよ》っている一種のにおいのようなもの、――ことにその年の夏が一きわ花やかで美しかっただけ、それだけその季節の過ぎてからの何とも言えぬ侘《わ》びしさのようなものが、いわば凋落《ちょうらく》の感じのようなものが、僕自身が病後だったせいか、一層ひしひしと感じられてならなかったのですが、（――もっとも西洋人はまだかなり残っていたようです。ごく稀《まれ》にそんな山径で行き逢《あ》いますと、なんだか病《や》み上がりの僕の方を胡散《うさん》くさそうに見て通り過ぎましたが、それは僕に人なつかしい思いをさせるよりも、かえってへんな侘びしさをつのらせました……）――そんな侘びしさがこの六月の高原にはまるで無いことが何よりも僕は好きです。どんな人気のない山径を歩いていても、一草一木ことごとく生き生きとして、もうすっかり夏の用意ができ、その季節の来るのを待っているばかりだと言った感じがみなぎっています。山鶯《やまうぐいす》だの、閑古鳥《かんこどり》*だのの元気よく囀《さえず》ることといったら！　すこし僕は考えごとがあるんだから黙《だま》っていてくれないかなあ、と癇癪《かんしゃく》を起したくなる位です。

西洋人はもうぽつぽつと来ているようですが、まだ別荘《べっそう》などは大概閉《たいがいとざ》されています。その閉されているのをいいことにして、それにすこし山の上の方だと誰ひとりそこいらを通りすぎるものもないので、僕は気に入った恰好《かっこう》の別荘があるのを見つけると、構わずその庭園の中へはいって行って、そこのヴェランダに腰《こし》を下ろし、煙草《たばこ》などをふかしながら、ぼんやり二三時間考えごとをしたりします。たとえば、木の皮葺《かわぶ》きのバンガロオ、*雑草の生《お》い茂《しげ》った庭、藤棚《ふじだな》（その花がいま丁度見事に咲《さ》いています）のあるヴェランダ、そこから一帯に見下ろせる樅《もみ》や落葉松《からまつ》の林、その林の向うに見えるアルプスの山々、そういったものを背景にして、一篇《ぺん》の小説を構想したりなんかしているんです。なかなか好い気持です。ただ、すこしぼんやりしていると、まだ生れたての小さな蚋《ぶよ》が僕の足を襲《おそ》ったり、毛虫が僕の帽子《ぼうし》に落ちて来たりするので閉口です。しかし、そういうものも僕には自然の僕に対する敵意のようなものとしては考えられません。むしろ自然が僕に対してうるさいほどの好意を持っているような気さえします僕の足もとになど、よく小さな葉っぱが海苔巻《のりまき》のように巻かれたまま落ちていますが、そのなかには芋虫《いもむし》の幼虫が包まれているんだと思うと、ちょっとぞっとします。けれども、こんな海苔巻のようなものが夏になると、あの透明《とうめい》な翅《はね》をした蛾《が》になるのかと想像すると、なんだか可愛《かわい》らしい気もしないことはありません。

どこへ行っても野薔薇《のばら》がまだ小さな硬《かた》い白い蕾《つぼみ》をつけています。それの咲くのが待ち遠しくてなりません。これがこれから咲き乱れて、いいにおいをさせて、それからそれが散るころ、やっと避暑客《ひしょきゃく》たちが入り込《こ》んでくることでしょう。こういう夏場だけ人の集まってくる高原の、その季節に先立って花をさかせ、そしてその美しい花を誰にも見られずに散って行ってしまうさまざまな花（たとえばこれから咲こうとする野薔薇もそうだし、どこへ行っても今を盛《さか》りに咲いている躑躅《つつじ》もそうですが）——そういう人馴《ひとな》れない、いかにも野生の花らしい花を、これから僕ひとりきりで思う存分に愛玩《あいがん》しようという気持は（何故《なぜ》なら村の人々はいま夏場の用意に忙《いそが》しくて、そんな花などを見てはいられませんから）何ともいえずに爽《さわ》やかで幸福です。どうぞ、都会にいたたまれないでこんな田舎《いなか》暮《ぐ》らしをするようなことになっている僕を不幸だとばかりお考えなさらないで下さい。

あなた方は何時頃《いつごろ》こちらへいらっしゃいますか？　僕はほとんど毎日のようにあなたの別荘の前を通ります。通りすがりにちょっとお庭へはいってあちらこちらを歩きまわることもあります。昔《むかし》はあんなに草深かったのに、すっかり見ちがえる位、綺麗《きれい》な芝生《しばふ》になってしまいましたね。それに白い柵《さく》などをおつくりになったりして。……何んだかあなたの別荘のお庭へはいっても、まるで他《ほか》の別荘の庭へはいっているような気がします。人に見つけられはしないかと、心臓がどきどきして来てなりません。どうしてこんな風にお変えになってしまったのか、本当におうらめしく思います。ただ、あなたと其処《そこ》でよくお話したことのあるヴェランダだけは、そっくり昔のままですけれど……

ああ、また、僕はなんだか悲しそうな様子をしてしまった。しかし、僕は本当はそんなに悲しくはないんですよ。だって僕は、あなた方さえ知らないような生の愉悦《ゆえつ》を、こんな山の中で人知れず味《あじわ》っているんですもの。でも一体、何時ごろあなた方はこちらへいらっしゃるのかしら？　あなた方とはじめて知り合いになったこの土地で、あなた方ともう見知らない人同志のように顔を合せたりするのは、大へんつらいから、僕はあなた方のいらっしゃる前に、この村を出発しようかと思います。どうぞその日の来るまで僕にも此処《ここ》にいることを、そしてときどき誰も見ていないとき、あなたの別荘のお庭をぶらつくことをお許し下さい。

またしても、何と悲しそうな様子をするんだ！　もう、止《よ》します。しかし、もうすこし書かせて下さい。でも、何を書いたものかしら？　僕のいま起居しているのはこの宿屋の奥《おく》の離《はな》れです。御存知《ごぞんじ》でしょう？　あそこを一人で占領《せんりょう》しています。縁側《えんがわ》から見上げると、丁度、母屋《おもや》の藤棚が真向うに見えます。さっきもいったように、その花がいま咲き切っているんです。が、もう盛りもすぎたと見え、今日あたりは、風もないのにぽたぽたと散りこぼれています。その花に群がる蜜蜂《みつばち》といったら大したものです。ぶんぶんぶんぶん唸《うな》っています。——この手紙を書きながら、ちょっと筆を休めて、何を書こうかなと思って、その藤の花を見上げながらぼんやりしていると、なんだか自分の頭の中の混乱と、その蜜蜂のうなりとが、ごっちゃになって、そのぶんぶんいっているのが自分の頭の中ではないかしら、とそんな気がしてくる位です。僕の机の上には、マダム・ド・ラファイエット＊の「クレエヴ公爵《こうしゃく》夫人」が読みかけのまんま頁《ページ》をひらいています。はじめてこのフランスの古い小説をしみじみ読んでいますが、そのお蔭《かげ》でだいぶ僕も今日このごろの自分の妙《みょう》に切迫《せっぱく》した気持から救われているような気がしています。この小説についてはあなたに一番その読後感をお書きしたいし、また黙ってもいたい。二三年前、あなたに無理矢理にお読ませした、ラジイゲ＊の「舞踏会《ぶとうかい》」は、この小説をお手本にしたと言われている位ですから、まあ、あれに大へん似ています。しかし「舞踏会」のときは、まだあんなにこだわらずに、その本をお貸しが出来たけれど、そしてそれをお読みになってもあなたは何もおっしゃらなかったし、僕もそれについては何もお訊《き》きしなかったが、それでも或《あ》る気持はお互《たが》いに通じ合っていたようでしたけれど、いま僕は、あの時のようにこだわらずに、この小説の読後感をあなたにお書きできるかしら？

　第一、この手紙にしたって、筆をとりながら、果してあなたに出せるものやら、出せそうもないものやら、心の中では躊躇《ためら》っているのです。恐《おそ》らく出さずにしまうかも知れません。……こんなことを考え出したら、もうこの手紙を書き続ける気がしなくなりました。もう筆を置きます。出すか出さないか分りませんけれど、ともかくも左《さ》様《よう》なら。

美しい村

或は　小遁走曲《フウグ》

　或る小高い丘《おか》の頂きにあるお天狗様《てんぐ》のところまで登ってみようと思って、私は、去年の落葉ですっかり地肌《じはだ》の見えないほど埋まっているやや急な山径《やまみち》をガサガサと音させながら上って行ったが、だんだんその落葉の量が増して行って、私の靴《くつ》がその中に気味悪いくらい深く入るようになり、腐《くさ》った葉の湿《しめ》り気《け》がその靴のなかまで滲《し》み込んで来そうに思えたので、私はよっぽどそのまま引っ返そうかと思った時分になって、雑木林《ぞうきばやし》の中からその見棄《みす》てられた家が不意に私の目の前に立ち現れたのであった。そうしてその窓がすっかり釘《くぎ》づけになっていて、その庭なんぞもすっかり荒《あ》れ果て、いまにも壊《こわ》れそうな木戸が半ば開かれたままになっているのを認めると、私は子供らしい好奇心《こうきしん》で一ぱいになりながらその庭の中へずかずかと這入《はい》って行った。

　そうして一めんに生い茂った雑草を踏《ふ》み分けて行くうちに、この家のこうした光景は、数年前、最後にこれを見た時とそれが少しも変っていないような気がした。が、それが私の奇妙な錯覚《さっかく》であることを、やがて私のうちに蘇《よみがえ》って来たその頃の記憶《きおく》が明瞭《めいりょう》にさせた。今はこんなにも雑草が生い茂って殆《ほと》んど周囲の雑木林と区別がつかない位にまでなってしまっているこの庭も、その頃は、もっと庭らしく小綺麗になっていたことを、漸《ようや》く私は思い出したのである。そうしてつい今しがたの私の奇妙な錯覚は、その時から既《すで》に経過してしまった数年の間、若《も》しそれがそのままに打棄《うっちゃ》られてあったならば、恐らくはこんな具合《ぐあい》にもなっているであろうに……という私の感じの方が、その当時の記憶が私に蘇るよりも先きに、私に到着したからにちがいなかった。しかし、私のそういう性急《せっかち》な印象が必ずしも贋《にせ》ではなかったことを、まるでそれ自身裏書きでもするかのように、私のまわりには、この庭を一面に掩《おお》うて草木が生い茂るがままに生い茂っているのであった。

そこのヴェランダにはじめて立った私は、錯雑した樅《もみ》の枝を透して、すぐ自分の眼下に、高原全帯が大きな円を描《えが》きながら、そしてここかしこに赤い屋根だの草屋根だのを散らばらせながら、横《よこた》わっているのを見下ろすことが出来た。そうしてその高原の尽《つ》きるあたりから、又《また》、他のいくつもの丘が私に直面しながら緩《ゆる》やかに起伏《きふく》していた。それらの丘のさらに向うには、遠くの中央アルプスらしい山脈が青空に幽《かす》かに爪《つめ》でつけたような線を引いていた。そしてそれが私のきざきざな地平線をなしているのだった。

夏毎《ごと》にこの高原に来ていた数年前のこと、これと殆どそっくりな眺望《ちょうぼう》を楽しむために、私は屢《しばしば》、ここからもう少し上方にあるお天狗様まで登りに来たのだけれど、その度《たび》毎に、この最後の家の前を通り過ぎながら、そこに毎夏のようにいつも同じ二人の老嬢《ろうじょう》が住まっているのを何んとなく気づかわしげに見やっては、その二人暮らしに私はひそかに心をそそられたものだった。――だが、あれはひょっとすると私自身の悲しみを通してばかり見ていたせいかも知れないぞ？（と私は考えるのだった。）何故って、私がこの丘へ登りに来た時は、いつも私に何か悲しいことがあって、それを肉体の疲労《ひろう》と取り換《か》えたいためだったからな。真白《まっしろ》な名札《なふだ》が立って、それには*MISS*のついた苗字《みょうじ》が二つ書いてあったっけ。……そう、その一方が確か*MISS SEYMORE*という名前だったのを私は今でも覚えている。が、もう一方のは忘れた。そうしてその老嬢たちそのものも、その一方だけは、あの銀色の毛髪《もうはつ》をして、何となく子供子供した顔をしていた方だけは、今でも私の眼にはっきりと浮《う》かんでくるけれど、もう一方のはどうしても思い出せない。昔から自分の気に入った型《タイプ》の人物にしか関心しようとしない自分の習癖《しゅうへき》が、（この頃ではどうもそれが自分の作家としての大きな才能の欠《けっ》陥《かん》のように思われてならないのだけれど、）この老嬢たちにも知らず識《し》らずの裡《うち》に働いていたものと見える。

……この数年間というもの、この高原、この私の少年時の幸福な思い出と言えばその殆んど全部が此処《ここ》に結びつけられているような高原から、私を引き離していた私の孤独《こどく》な病院生活、その間に起ったさまざまな出来事、忘れがたい人々との心にもない別離《べつり》、その間の私の完全な無為《むい》。……そして、その長い間放擲《ほうてき》していた私の仕事を再び取り上げるために、一人きりにはなりたいし、そうかと言ってあんまり知らない田舎《いなか》へなぞ行ったら淋しくてしようがあるまいからと言った、例の私の不決断な性分《しょうぶん》から、この土地ならそのすべてのものが私にさまざまな思い出を語ってくれるだろうし、そして今時分ならまだ誰にも知った人には会わないだろうしと思って、こんな季節はずれの六月の月を選んで、この高原へわざわざ私はやって来たのであった。が、数日前にこの土地へ到着してから私の見聞きする、あたかも私のそういう長い不在を具象《ぐしょう》するような、この高原に於《お》けるさまざまな思いがけない変化、それにつけても今更《いまさら》のように蘇って来る、この土地ではじめて知り合いになった或る女友達との最近の悲しい別離。……

そんな物思いに耽《ふけ》りながら、私はぼんやり煙草《たばこ》を吹かしたまま、ほとんど私の真正面の丘の上に聳《そび》えている、西洋人が「巨人《きょじん》の椅子《いす》」という綽名《あだな》をつけているところの大きな岩、それだけがあらゆる風化作用から逃《のが》れて昔からそっくりそのままに残っているかに見える、どっしりと落着いた岩を、いつまでも見まもっていた。

私はやがて再び枯葉《かれは》をガサガサと音させながら、山径を村の方へと下りて行った。その山径に沿うて、落葉松《からまつ》などの間にちらほらと見える幾《いく》つかのバンガロオも大概はまだ同じような紅殻板《べにがらいた》*を釘づけにされたままだった。ときおり人夫等がその庭の中で草むしりをしていた。彼等《かれら》の中には熊手《くまで》を動かしていた手を休めて私の方を胡散臭《うさんくさ》そうに見送る者もあった。私はそういう気づまりな視線から逃れるために何度も道もないようなところへ踏《ふ》み込んだ。しかしそれは昔私の大好きだった水車場のほとりを目ざして進んでいた私の方向をどうにかこうにか誤らせないでいた。しかし其処《そこ》まで出ることは出られたが、数年前まで其処にごとごとと音立てながら廻《まわ》っていた古い水車はもう跡方《あとかた》もなくなっていた。それよりももっと悲しい気持になって私の見出《みいだ》したのは、その水車場近くの落葉松を背にした一つのヴィラだった。*私の屢しば訪《おとず》れたところのそのヴィラは、数年前に最後に私の見た時とはすっかり打って変っていた。以前はただ小さな灌木《かんぼく》の茂みで無雑作《むぞうさ》に縁《ふち》どられていたその庭園は、今は白い柵できちんと区限《くぎ》られていた。私はふと何故《なぜ》だか分らずにその滑《なめ》らかそうな柵をいじくろうとして手をさし伸《の》べたが、それにはちょっと触れただけであった。そのとき私の帽子の上になんだか雨滴のようなものがぽたりと落ちて来たから。そこでその宙に浮いた手を私はそのまま帽子の上に持って行った。それは小さな桜《さくら》の実であった。私がひょいと頭を持ち上げた途端に、そこには、丁度私の頭上に枝《えだ》を大きく拡《ひろ》げながら、それがあんまり高いので却《かえ》って私に気づかれずにいた、それだけが私にとっては昔馴染《なじみ》の桜の老樹が見上げられた。

やがて向うの灌木の中から背の高い若い外国婦人が乳母車《うばぐるま》を押《お》しながら私の方へ近づいて来るのを私は認めた。私はちっともその人に見覚えがないように思った。私がその道ばたの大きな桜の木に身を寄せて道をあけていると、乳母車の中から亜麻色《あまいろ》*の毛髪をした女の児《こ》が私の顔を見てにっこりとした。私もつい釣《つ》り込《こ》まれて、にっこりとした。が、乳母車を押していたその若い母は私の方へは見向きもしないで、私の前を通り過ぎて行った。それを見送っているうち、ふとその鋭《するど》い横顔から何んだか自分も見たことがあるらしいその女の若い娘《むすめ》だった頃の面影《おもかげ》が透《す》かしのように浮んで来そうになった。

私はその白い柵のあるヴィラを離れた。私の帽子の上に不意に落ちて来た桜の実が私のうちに形づくり、拡げかけていた悲しい感情の波紋《はもん》を、今しがたの気づまりな出《で》会《あい》がすっかり掻《か》き乱してしまったのを好い機会にして。

私は村はずれの宿屋に帰って来た。私がその宿屋に滞在《たいざい》する度にいつも私にあてがわれる離れの一室。同じように黒ずんだ壁《かべ》、同じような窓枠《まどわく》、その古い額縁《がくぶち》の中にはいって来る同じような庭、同じような植込み、……ただそれらの植込みに私の知っている花や私の知らない花が簇《むら》がり咲いているのが私には見馴《みな》れなかった。それはそれでまた私を侘《わ》びしがらせた。母屋《おもや》の藤棚《ふじだな》から、風の吹くごとに私のところまでその花の匂《におい》がして来た。その藤棚の下では村の子供たちが輪になって遊んでいた。私はその子供たちの中に昔よく遊んでやったことのある宿屋の子供がいるのを認めた。そのうちに他《ほか》の子供たちは去った。そしてその子供だけがまだ地面に踞《こご》んだまま一人で何かして遊んでいた。私はその子の名前を呼んだ。その子はしかし私の方を振《ふ》り向こうともしなかった。それほど自分の遊びに夢中《むちゅう》になっているように見えた。私がもう一度その名前を呼ぶと、やっとその子はうす汚《よご》れた顔を上げながら私に言った。「太郎ちゃんは何処《どこ》にいるか知らないよ」――私はその時初めてその小さな子供は私の呼んだ男の子の弟であるのに気がついたのだ。しかし何という同じような顔、同じような眼差《まなざし》、同じような声。……暫《しば》らくしてから「次郎！　次郎！」と呼びながら、一人の、ずっと大きな、見知らない男の子が庭へ這入《はい》って来るのを私は見た。ようやく私になついて私の方へ近づいて来そうになったその小さな弟は、それを聞くと急いでその方へ駈《か》けて行ってしまった。私の方では、その大きな見知らないような男の子が昔私と遊んだことのある子供であるのを漸《や》っと認め出していた。しかし、その生意気ざかりの男の子は小さな弟を連れ去りながら、私の方をば振り向こうともしなかった。

*
**

私は毎日のように、そのどんな隅々《すみずみ》までもよく知っている筈《はず》だった村のさまざまな方へ散歩をしに行った。しかし何処へ行っても、何物かが附加《つけくわ》えられ、何物かが欠けているように私には見えた。その癖《くせ》、どの道の上でも、私の見たことのない新しい別荘の蔭《かげ》に、一むれの灌木が、私の忘れていた少年時の一部分のように、私を待ち伏《ぶ》せていた。そうしてそれらの一むれの灌木そっくりにこんがらかったまま、それらの少年時の愉《たの》しい思い出も、悲しい思い出も私に蘇って来るのだった。私はそれらの思い出に、或《あるい》は胸をしめつけられたり、或は胸をふくらませたりしながら歩いていた。私は突然《とつぜん》立ち止まる。自分があんまり村の遠くまで来すぎてしまっているのに気がついて。——そんなみちみち私の出遇《であ》うのは、ごく稀《まれ》には散歩中の西洋人たちもいたが、大概《たいがい》、枯枝を背負《せお》ってくる老人だとか蕨《わらび》とりの帰りらしい籃《かご》を腕《うで》にぶらさげた娘たちばかりだった。それ等のものはしかし、私にとってはその村の風景のなかに完全に雑《まじ》り込んで見えるので、少しも私のそういう思い出を邪魔《じゃま》しなかった。もっとも時たま、或る時は私があんまり子供らしい思い出し笑いをしているのを見て、すれちがいざまいきなり私に声をかけて私を愕《おどろ》かせたり、又或る時は向うから私に微笑《ほほえ》みかけようとして私の悲しげな顔を見てそれを途中で止《や》めてしまうようなこともあるにはあったが……。

そんな風に思い出に導かれるままに、村をそんな遠くの方まで知らず識《し》らず歩いて来てしまった私は、今更のように自分も健康になったものだなあ、と思った。私はそういう長い散歩によって一層生き生きした呼吸をしている自分自身を見出した。それにこの土地に滞在してからまだ一週間かそこいらにしかならないけれど、この高原の初夏の気候が早くも私の肉体の上にも精神の上にも或る影響《えいきょう》を与《あた》え出していることは否《いな》めなかった。夏はもう何処にでも見つけられるが、それでいてまだ何処という的《あて》もないでいると言ったような自然の中を、こうしてさ迷いながら、あちこちの灌木の枝には注意さえすれば無数の莟《つぼみ》が認められ、それ等はやがて咲《さ》き出すだろうが、しかしそれ等は真夏の季節《シイズン》の来ない前に散ってしまうような種類の花ばかりなので、それ等の咲き揃《そろ》うのを楽しむのは私一人《ひとり》だけであろうと言う想像なんかをしていると、それはこんな淋《さび》しい田舎《いなか》暮《ぐら》しのような高価な犠《ぎ》牲《せい》を払《はら》うだけの値《あたい》は十分にあると言っていいほどな、人知れぬ悦楽《えつらく》のように思われてくるのだった。そうして私はいつしか「田《でん》園交響曲《えんこうきょうきょく》」＊の第一楽章が人々に与える快《こころよ》い感動に似たもので心を一ぱいにさせていた。そうして都会にいた頃《ころ》の私はあんまり自分のぼんやりした不幸を誇張《こちょう》し過ぎて考えていたのではないかと疑い出したほどだった。こんなことなら何もあんなにまで苦しまなくともよかったのだと私は思いもした。そうして最近私を苦しめていた恋愛《れんあい》事件をそっくりそのままに書いてみたら、その苦しみそのものにも気に入るだろうし、私にはまだよく解《わか》らずにいる相手の気持もいくらか明瞭《はっきり》しはしないかと思って、却《かえ》ってそういう私自身の不幸をあてにして仕事をしに来た私は、ために困惑《こんわく》したほどであった。私はてんでもうそんなものを取り上げてみようという気持すらなくなってしまったのだ。で、私は仕事の方はそのまま打棄《うっちゃ》らかして、毎日のように散歩ばかりしていた。そうして私は私の散歩区域を日毎《ひごと》に拡げて行った。

或る日私がそんな散歩から帰って来ると、庭掃除《にわそうじ》をしていた宿の爺《じい》やに呼び止められた。

「細木さん＊はいつ頃こちらへお見えになります？」

「さあ、僕《ぼく》、知らないけれど……」

それは私が何日頃この地を出発するかを聞いたのと同じことであるのに爺やは気づきようがなかったのだ。

「去年お帰りになるとき」と爺やは思い出したように言った。「庭へ羊歯《しだ》を植えて置くようにと言われたんですが、何処へ植えろとおっしゃったんだか、すっかり忘れてしまいましたもんで……」

「羊歯をね」私は鸚鵡《おうむ》がえしに言った。それから私は例の白い柵《さく》に取り囲まれたヴィラを頭に浮べながら、「あの白い柵はいつ出来たの？」と訊《き》いた。

「あれですか……あれは一昨年でした」

「一昨年ね……」

私はそれっきり黙《だま》っていた。爺やのいじくっている植木の一つへ目をやりながら。それからやっとそれに白い花らしいものの咲いているのに気がつきながら訊いた。

「それは何の花だい？」

「これはシャクナゲです」

「シャクナゲ？　ふうん、そう言えば、じいやさん、このへんの野薔薇《のばら》はいつごろ咲くの？」

「今月の末から、まあ、来月の初めにかけてでしょうな」

「そうかい、まだ大ぶあるんだね。――一体、どのへんが多いんだい？」

「さあ……あのレエノルズさんの病院の向うなんか……」

「ああ、じゃ、あそこかな、あの絵葉書にあった奴《やつ》は。……」


その翌朝は、霧《きり》がひどく巻いていた。私はレエンコートをひっかけて、まだ釘《くぎ》づけにされている教会の前を通り、その裏の橡《とち》の林の中を横切って行った。その林を突《つ》き抜《ぬ》けると、道は大きく曲りながら一つの小さな流れに沿うて行った。しかしその朝はその流れは霧のためにちっとも見えなかった。そしてただ、せせらぎの音ばかりが絶えず聞えていた。私はやがて小さな木橋を渡った。それからその土手道《どてみち》は、こんどは今までとは反対の側を、その流れに沿うて行くのであった。さて、その土手道へ差しかかろうとした途端、私はふと立ち止まった。私の行く手に何者かが異様な恰好《かっこう》でうずくまっているのが仄見《ほのみ》えたので。その異様なものは、霧のなかで私自身から円光のように発しているかに見える、私を中心にして描いた円状の薄明《うすあか》りの、丁度その円周の上にうずくまっているのだった。しかし霧は絶えず流れているので、或《あ》る時は一層濃《こ》いのが来てその人影《ひとかげ》をほとんど見えなくさせるが、やがてそれが薄らいで行くにつれてその人影も次第にはっきりしてくる。漸っとそれが蝙蝠傘《こうもりがさ》の下で、或る小さな灌《かん》木《ぼく》の上に気づかわしげに身を跼《こご》めている、西洋人らしいことが私には分かり出した。もっと霧が薄らいだとき、私はその人の見まもっているのが私の見たいと思っていた野薔薇の木らしいことまで分かった。向うでは私のことに気づかないらしかった。そのため、誰《だれ》にも見られていないと信じながら何かに夢中になっている時、ややもすると、あとでそれを思い出そうとしても思い出せないような変にむつかしい姿勢をしていることがあるものだが、私の行く手を塞《ふさ》いでいるその人も恐《おそ》らくそんな時の姿勢をしているのにちがいなかった。……気がついて見ると私のすぐ傍《かたわ》らにもあった野薔薇の木を、それが私の見たいと思っている野薔薇の木のほんのデッサンでしかないように見やりながら、私はそのままじっと佇《たたず》んでいた。――やっとその人影は身を起し、蝙蝠傘をちょっと持ちかえてから歩き出した。そうしてずんずん霧のなかに暈《ぼや》けて行った。

私も歩き出しながら、やっとその野薔薇の小さな茂《しげ》みの前に達した。そうして今しがたその人のしていたような難《むつか》しい姿勢を真似《まね》ながら、その上に身を跼《こご》めてみた。そうすればその人の心の状態までが見透《みす》かされでもするかのように。その小さな茂みはまだ硬《かた》い小さな莟《つぼみ》を一ぱいにつけながら、何か私に訴《うった》えでもしたいような眼つきで私を見上げた。私は知らず識《し》らずの裡《うち》にそれらの莟を根気よく数えたり、そっと持ち上げてみたりしている自分自身に気がついた。ふとさっきの人のしていた異様な手つきがまざまざと蘇《よみがえ》った。そうしてその小さな茂みがマイ・ミクスチュア*らしい香《かお》りを漂《ただよ》わせているのに気がついたのもそれと殆《ほと》んど同時だった。湿《しめ》った空気のために何時《いつ》までもそのこんがらかった枝にからみついて消えずにいるその香りは、まるでその小さな茂みそのものから発せられているかのように思われた。――私はいつもパイプを口から離《はな》したことのないレエノルズさんのことを思い出した。そして今の人影はその老医師にちがいないと思った。そう言えば、さっきから向うの方に霧のために見えたり隠《かく》れたりしている赤茶けたものは、そのサナトリウム*の建物らしかった。

私は再び霧のなかの道を、神々《こうごう》しいような薄光りに包まれながら、いくら歩いてもちっとも自分の体が進まないようなもどかしさを感じながら、あてもなく歩き続けていた。私の心はさっき霧の中から私を訴えるような眼つきで見上げた野薔薇のことで一杯《いっぱい》になっていた。私はそれらの白い小さな花を私の詩のためにさんざん使って置きながら、今日までその本物をろくすっぽ見もしなかったけれど、今度こそ、私もそれらの花に対して私のありったけの誠実を示すことの出来る機会の来つつあることを心から喜んでいた。そしてそのための私の歓《よろこ》ばしさと言ったら、昔《むかし》の詩人等が野薔薇のために歌った詩句を、口ずさむなんと言うのではなく、それを知っているだけ残らず大きな声で呶鳴《どな》り散らしたいような衝動《しょうどう》にまで、私を駈《か》り立てるのであった。

＊＊＊

私の書こうとしていた小説の主題は、漸《ようや》くその日その日を楽しむことが出来るようになったこんな田舎暮《いなかぐら》しの中では、いよいよ無意味なものに思われて来た。それに、そんなものを書くことは、自分で自分を一層どうしようもない破目《はめ》に陥《おと》し入れるようなものであることにも気がついたのだ。「アドルフ」＊の例が考えられた。ああいうものにまで私は自分の小さな出来事を引き揚《あ》げたかったのだ。弱気でしかも自我《じが》の強いために自分自身も不幸になり、他人をも不幸にさせたところのアドルフの運命は又《また》、私の運命さながらに思えたからだ。しかし、「アドルフ」の作者ほど、そういう弱々しい性格（恐らくそれは彼自身のであろうけれど）に対するはげしい憎悪《ぞうお》も持っていない、むしろそういう自分自身を甘《あま》やかすことしか出来そうもない私がそんな小説の真似なんかしようものなら、それによって更《さら》にもう一層自分自身をも、又他人をも不幸にするばかりであることが、わかり過ぎるくらい私にはわかって来たのだ。……こういうような考え方は、私の暗い半身にはすこし気に入らないようだったけれども、この頃のこんな田舎暮しのお蔭《かげ》で、そう言った私の暗い半身は、もう一方の私の明るい半身に徐々《じょじょ》に打負かされて行きつつあったのだ。

そうして今の私がそれならば書いてもみたいと思うものは、たとえどんなに平凡《へいぼん》なものでもいいから、これから私の暮らそうとしているようなこんな季節はずれの田舎の、人っ子ひとりいない、しかし花だらけの額縁《がくぶち》の中へすっぽりと嵌《は》まり込むような、古い絵のような物語であった。私は何とかしてそんな言わば牧歌的なものが書きたかった。私はこれまでも他人の書いたそういう作品を随分《ずいぶん》好きでもあり、そういう出来事に出遇《であ》ったということでその人を羨《うらや》ましくも思って来たが、私自身でそう言うものを書いてみようとも、又、書けそうにも思えなかった。が、それだけ一層、今の私はそういう牧歌的なものを書いてみたいと思い立ったのである。——私はしかし、それを書くためには、いま自分の暮らしつつあるこの村を背景にするよりほかはなく、と言って一月《ひとつき》や二月ぐらいの滞在中にそういう出来事が果して私の身辺に起り得《う》るものかどうか疑わしかった。莫迦莫迦《ばかばか》しいことだが、私は何度も林の中の空地で無駄《むだ》に待ち伏《ぶ》せたものだった。男の子のように美しい田舎の娘がその林の中からひょっこり私の前に飛び出して来はしないかと。……そんな空《むな》しい努力の後、やっと私の頭に浮《うか》んだのは、あのお天狗《てんぐ》様のいる丘《おか》のほとんど頂近くにある、あの見棄《みす》てられた、古いヴィラであった。あのヴィラを背景にして、そこに毎夏を暮らしていた二人の老嬢《ろうじょう》のいかにも心もとなげな存在を自分の空想で補いながら書いて行く——それなら何んだか自分にもちょっと書けそうな気がした。この間その家の荒廃《こうはい》した庭のなかへ這入《はい》り込《こ》んで其処《そこ》から一時間ばかり眺《なが》めていた高原の美しい鳥瞰図《ちょうかんず》だの、一かどのニイチェアン*だった学生の時分からうろおぼえに覚えていた*zweisam**という、いかにもその老嬢たちに似つかわしいドイツ語だのを、ひょっくりと思い浮べながら……。

或る夕方、私は再びそのヴィラまで枯葉《かれは》に埋《うず》まった山径《やまみち》を上って行った。庭の木戸は私がそうして置いたままに半ば開かれていた。私の捨てた煙草《たばこ》の吸殻《すいがら》がヴェランダの床《ゆか》に汚点《しみ》のように落ちていた。私は日の暮れるまで、其処から林だの、赤い屋根だの、丘だの、それから真正面に聳《そび》えている「巨人《きょじん》の椅子《いす》」だのを、一々暗記してしまうほど熱心に見つめていた。……ときどき、こんな夕暮れ時に、二人のうちの私のよく覚えている方の神々しいような白髪《はくはつ》の老婦人が、このヴェランダの、そう、丁度私の坐《すわ》っているこの場所に腰《こし》を下ろしたまま、彼女《かのじょ》のとうに死んでいる友人と話し合ってでもいると言ったような、空虚《うつろ》な眼《まな》ざしがまざまざと蘇ってくる……と思うと、一瞬間《しゅんかん》それがきらきらと少女の眼ざしのようにかがやく……家の中からは夕餉《ゆうげ》の支度《したく》をしている、もう一方の婦人の立てる皿《さら》の音が聞えて来る……彼女はふと十字を切ろうとするように手を動かしかけるが、それはほんの下描《したが》きで終ってしまう……彼女にだけは一種の言語をもっていそうな気のする「巨人の椅子」……そんな一方の老嬢のさまざまな姿だけは、私が実際にそれらを見て、そして無意識の裡《うち》にそれらを記憶《きおく》していたのではないかと思えるくらい、まざまざと蘇って来るが、――もう一人の老嬢の方は、いつまでも皿の音ばかりさせていて、容易に私の物語の中には登場して来ようとはしない。私はどうしても彼女の俤《おもかげ》を蘇らすことが出来ないのである。……

そんな或る午後、私のあてもなくさまよっていた眼ざしが、急に注意深くなって、私の丁度足許《あしもと》にある夕日のあたっている赤い屋根の上にとまった。何か黒い小さなものがその屋根の頂きからころころと転がって来ては、庇《ひさし》のところから急に小石のように墜落《ついらく》して行くのだった。しばらく間を置いては又それをやっている。私は何だろうと思って、眼を細くしながら見まもっていた。そうしてそれ等が二羽の小鳥であるのを認めた。それ等が交尾《こうび》をしながら、庇のところまで一緒《いっしょ》に転がって来ては、そこから墜落すると同時に、さあと二叉《ふたまた》に飛びわかれているのだった。同じ小鳥たちなのか、他《ほか》の小鳥たちなのか分らないが、それが何回となく繰《く》り返されている。――これは私の物語の中にとり入れてもいいぞ、と思いながら私はそれを飽《あ》かずに見まもっている。――こんな風にして、自分の見つつあるものが自分の構想しつつある物語の中へそのままエピソオドとして溶《と》け込んで来ながら、自分からともすると逃《に》げて行ってしまいそうになる物語の主題を少しずつ発展させているように見える……。

アカシアの花が私の物語の中にはいって来たのもそんな風であった。それの咲き出す頃が丁度私の田舎暮しもそのクライマックスに達するのではないかというような予覚のする、例の野薔薇《のばら》の莟《つぼみ》の大きさや数を調べながら、あのサナトリウムの裏の生墻《いけがき》の前は何遍《なんべん》も行ったり来たりしたけれど、その方にばかり気を奪《と》られていた私は、其処から先きの、その生墻に代ってその川べりの道を縁《ふち》どりだしているアカシアの並木《なみき》には、ついぞ注意をしたことがなかった。ところが或る日のこと、サナトリウムの前まで来かかった時、私の行く手の小径《こみち》がひどく何時《いつ》もと変っているように見えた。私はちょっとの間、それから受けた異様な印象に戸惑《とまど》いした。私はそれまでアカシアの花をつけているところを見たことがなかったので、それが私の知らないうちにそんなにも沢山《たくさん》の花を一どに咲かしているからだとは容易に信じられなかったのであった。あのかよわそうな枝《えだ》ぶりや、繊細《せんさい》な楕円形《だえんけい》の軟《やわら》かな葉などからして私の無意識の裡に想像していた花と、それらが似てもつかない花だったからであったかも知れない。そしてそれらの花を見たばかりの時は、誰かが悪戯《いたずら》をして、その枝々に夥《おびただ》しい小さな真っ白な提灯《ちょうちん》のようなものをぶらさげたのではないかと言うような、いかにも唐突《とうとつ》な印象を受けたのだった。やっとそれらがアカシアの花であることを知った私は、その日はその小径をずっと先きの方まで行ってみることにした。アカシアの木立の多くは、どうかするとその花の穂先《ほさき》が私の帽子《ぼうし》とすれすれになる位にまで低くそれらの花をぷんぷん匂《にお》わせながら垂らしていたが、中にはまだその木立が私の背ぐらいしかなくって、それが殆ど折れそうなくらいに撓《しな》いながら自分の花を持ち耐《た》えている傍《そば》などを通り過ぎる時は、私は何んだか切ないような気持にすらなった。アカシアの並木は何処《どこ》まで行っても尽《つ》きないように見えた。私はとうとう或る大きなアカシアを撰《えら》んでその前に立ち止まった。私は何とかしてこれらのアカシアの花が私に与えたさっきの唐突な印象を私自身の言葉に翻訳《ほんやく》して置きたいと思ったのだ。それらの花のまわりには無数の蜜蜂《みつばち》がむらがり、ぶんぶん唸《うな》り声を立てていた。しかしそれらの蜜蜂は空気のなかで何処で唸っているともつかなかったし、それに私はさっきから自分の印象をまとめようとしてそれにばかり夢中《むちゅう》になっていたので、そんな唸り声にふと気づく度毎《たびごと》に、何んだか私自身の頭脳《ずのう》がひどい混乱のあまりそんな具合《ぐあい》に唸り出しているのではないかと言うような気もされた。……

＊
＊＊

その村の東北に一つの峠《とうげ》があった。

　その旧道には樅《もみ》や山毛欅《ぶな》などが暗いほど鬱蒼《うっそう》と茂っていた。そうしてそれらの古い幹には藤《ふじ》だの、山葡萄《やまぶどう》だの、通草《あけび》だのの蔓草《つるくさ》が実にややこしい方法で絡《から》まりながら蔓延《まんえん》していた。私が最初そんな蔓草に注意し出したのは、藤の花が思いがけない樅の枝からぶらさがっているのにびっくりして、それからやっとその樅に絡みついている藤づるを認めてからであった。そう言えば、そんなような藤づるの多いことったら！　それらの藤づるに絡みつかれている樅の木が前よりも大きくなったので、その執拗《しつよう》な蔓がすっかり木肌《きはだ》にめり込んで、いかにもそれを苦しそうに身もだえさせているのなどを見つめていると、私は無気味になって来てならない位だった。——或る朝、私は例の気まぐれから峠まで登った帰り途《みち》、その峠の上にある小さな部落の子供等《ら》二人と道づれになって降りて来たことがあった。その折のこと、その子供たちはいろいろな木に絡まっている、もっと他の山葡萄だの、通草だのをも私に教えてくれたのだった。子供たちは秋になるとそれ等の実を採りに来るので、それ等のある場所を殆んど暗記していた。それからまた小鳥の巣《す》のある場所を私に教えてくれたりした。彼等は峠で力餅《ちからもち》などを売っている家の子供たちであった。大きい方の子は十二で、小さい方の子は七つぐらいだった。三人兄弟なのだが、その真ん中の子が村の小学校からまだ帰らぬので峠の下まで迎《むか》えに行くのだと言っていた。

子供たちは何を見つけたのか急に私を離れて、林のなかへ、下生えを掻《か》き分けながら駈けこんでいった。そうして一本のやや大きな灌木《かんぼく》の下に立ち止まると、手を伸《の》ばしてその枝から赤い実を捥《も》ぎとっては頬張《ほおば》っていた。それは何の実だと訊《き》いたら、「茱萸《ぐみ》だ」と彼等は返事をした。そうして彼等はときどき私の方をふり向いて手招きをしたが、私が下生えに邪魔《じゃま》をされてなかなか其処まで行くことが出来ずにいると、大きい方の子がその実を少しばかり私のために持って来てくれた。私は子供たちの真似《まね》をしてそれを一つずつこわごわ口に入れてみた。なんだか酸《す》っぱかった。私はしかしそれをみんな我慢《がまん》をして嚥《の》み込んだ。そうして子供たちが低い枝にあった実をすっかり食べつくしてしまうと、今度は高くて容易に手の届きそうもない枝をしきりに手《た》ぐろうとしては失敗しているのを、私は根気よく、むしろ面白《おもしろ》いものでも見ているように見入っていた。

子供たちはまた林の中のいろいろな抜《ぬ》け道を私に教えてくれようとした。そうして急な草深い斜面《しゃめん》をずんずん駈け下りて行った。私はそのあとから危かしそうな足つきでついて行った。ほとんど何処からも日の射《さ》し込んで来ないくらい、木立が密生して枝と枝との入りまじっているところもあった。かと思うと急に私たちの目の前が展《ひら》けて、ちょっとの間何も見えなくなるくらい明るい林のなかの空地があったりした。私たちがそういう林の中の空地の一つへ辿《たど》り着いた時、突然《とつぜん》、一つの小石が何処《どこ》からともなく飛んで来て私たちの足許《あしもと》に落ちた。その飛んで来たらしい方を私たちがまぶしそうに振《ふ》り向いた途端《とたん》、数本の山毛欅《ぶな》を背にしながら、ほとんど垂直なほど急な勾配《こうばい》の藁屋根《わらやね》をもった、窓もなんにもないような異様な小屋の蔭《かげ》へ、小さな黒い人影《ひとかげ》が隠《かく》れるのを私たちは認めた。それを知っても、しかし、私の小さな同伴者《どうはんしゃ》たちは何も罵《のの》しろうとせず、却《かえ》って私に向って何かその言訣《いいわけ》でもしたいような、そしてそれを私に言い出したものかどうかと躊躇《ためら》っているような、複雑な表情をして私の方を見上げているので、私は不審《ふしん》そうに、

「あの子は白痴《ばか》なのかい？」と訊いた。

子供たちは顔を見合わせていた。それから大きい方の子が低声《こごえ》で私に答えた。

「そうじゃないよ。――あれあ気ちがいの娘《むすめ》だ」

「ふん、それであんな変な家にいるんだね？」

「あれあ氷倉《こおりぐら》*だ。――あの向うの家だ」

しかしその氷倉だという異様な恰好《かっこう》をした藁小屋に遮《さえ》ぎられて、その家らしいものの一部分すら見えないところを見ると、恐《おそ》らく小さな掘立《ほったて》小屋かなんかに違《ちが》いなかった。

「気ちがいっておとっつぁんがかい？」

「……」兄も弟も同時に頭を振った。

「じゃ、おっかさんの方だね？」

「うん……」そう答えてから、兄は弟の方を見い見い誰《だれ》に言うともなく言った。「ときどき川んなかで呶鳴《どな》っているなあ」

「おれも一度向うの川で見た」弟の返事である。

「向うって何処だ？」

「向うの方だ」弟は何んだか自信のなさそうな、いまにも泣き出しそうな顔をして、漠然《ばくぜん》と或《あ》る方向を私に指して見せた。

「そうか」私はわかったような振りをした。「……おとっつぁんは何をしているんだ？」

「木樵《きこ》りだなあ」とこんどはまた兄が弟の方を見い見い言った。

「変なとっつぁんだ」弟は顔をしかめながらそれに答えた。

氷倉の蔭から、再びちらりと小娘らしい顔が出たようだったけれど、私たちの方からは丁度逆光線だったので、よくもそれを見分けないうちに、その顔はすぐ引っ込んでしまった。それっきりその小娘は顔を出さなかった。ただ私たちはそれから間もなく異様な叫《さけ》びを耳にした。それはその小娘が私たちを罵ったのか、それとも私たちには見えぬ小屋の中からその小娘に向ってそれが叫ばれたのか、それとも又《また》、その裏の林のなかで山鳩《やまばと》でも啼《な》いたのだろうか？　ともかくも、その得体《えたい》の知れぬアクセントだけが妙《みょう》に私の耳にこびりついた。――が、私たちは無言のまま、ただちょっと足を早めながら、その空地を横切って行った。私たちはそれから再び林の中へ這入《はい》った。その中へ這入ると急に薄暗《うすぐら》くなったようだけれど、私たちの眼底にはいまの空地の明るさがこびりついているせいか、暫《しば》らく私たちの周りには一種異様な薄明りが漂《ただよ》っているように見えた。そんな林の中をずんずん先きになって駈《か》け下りて行く子供たちの跡《あと》について行きながら、彼等がいまだに何となく昂奮《こうふん》しているらしいのを、私は漠然と感じていた。そうして、こんな風に彼等と一緒に峠を下りて行く私は一体彼等にはどんな人間に見えているのだろう？　とそういう現在の私自身にも興味を持ったりした。

峠を下り切ったところに架《かか》っている白い橋の上に、小さな男の子が一人《ひとり》、鞄《かばん》を背負《せお》ったまま、しょんぼりと立っていた。私の連れ立っている子供たちがその男の子に同時に声をかけた。彼等を見るとその男の子はにっこりと微笑《びしょう》した。が、私にも気がつくと、人見知りでもするかのように、橋の下の渓流《けいりゅう》の方へその小さな顔をそむけた。

私も私で、しばらくその渓流をぼんやり見下ろしていた。さっき林のなかの空地で子供の一人が漠然と指したそのずっと上流にあたる方を心のうちに描《えが》きながら。それから私は三人の子供たちに小銭《こぜに》をすこし与《あた》えて、彼等と別れた。

＊＊＊

雨が降り出した。そうしてそれは降り続いた。とうとう梅雨期《ばいうき》に入ったのだった。そんな雨がちょっと小止《おや》みになり、峠の方が薄明るくなって、そのまま晴れ上るかと思うと、峠の向側からやっと匍《は》い上って来たように見える濃霧《のうむ》が、峠の上方一面にかぶさり、やがてその霧がさあと一気に駈け下りて来て、忽《たちま》ち村全帯の上に拡《ひろ》がるのであった。どうかすると、そういう霧がずんずん薄らいで行って、雲の割れ目から菫色《すみれいろ》の空がちらりと見えるようなこともあったが、それはほんの一瞬間きりで、霧はまた次第に濃《こ》くなって、それが何時《いつ》の間にか小雨《こさめ》に変ってしまっていた。

私はその暗い雲の割れ目からちらりと見える、何とも言えずに綺麗《きれい》な、その菫色がたまらなく好きであった。そうしてそれは、殆《ほと》んど日課のようにしていた長い散歩が雨のために出来なくなっている私にとっては、たとえ一瞬間にもしろそれが見られたら、それだけでもその日の無聊《ぶりょう》が償《つぐな》われたようにさえ思われた程《ほど》であった。——「おまえの可愛《かわ》いい眼の菫、か……」そんなうろおぼえのハイネ＊の詩の切れっぱしが私の口をふと衝《つ》いて出る。「ふん、あいつの眼が、こんな菫色じゃなくって仕合せというものだ。そうでなかった日にゃ、おれもハイネのようにこう呟《つぶ》やきながら嘆《なげ》いてばかりいなきゃなるまい。――おまえの眼の菫はいつも綺麗に咲《さ》くけれど、ああ、おまえの心ばかりは枯《か》れ果てた……」

そんな鬱陶《うっとう》しいような日々も、相変らず私の小説の主題は私からともすると逃げて行きそうになるが、私はそれをば辛抱《しんぼう》づよく追いまわしている。私が最初に計画していたところの私自身を主人公とした物語を書くことはとっくに断念していたけれど、私はそれの代りに、その物語の主人公には一体どんな人物を選んだらいいのか、それからしてもう迷っていた。……どうにか一方の老嬢《ろうじょう》は私の物語の中に登場させることは出来ても、もう一方の方は台所で皿《さら》の音ばかりさせているきりで、何時まで経《た》ってもヴェランダに出て来ようとしない二人の老嬢たちの話、冬になるとすっかり雪に埋《うず》まってしまうこんな寒村に一人の看護婦を相手に暮《く》らしている老医師とその美しい野《の》薔薇《ばら》の話、ときどき気が狂《くる》って渓流のなかへ飛び込《こ》んでは罵《ののし》りわめいているという木《き》樵《こり》の妻とその小娘の話、――そういうような人達のとりとめもない幻像《イマアジュ》ばかりが私の心にふと浮《うか》んではふと消えてゆく……

或る午後、雨のちょっとした晴れ間を見て、もうぽつぽつ外人たちの這入りだした別荘《べっそう》の並《なら》んでいる水車の道のほとりを私が散歩をしていたら、チェッコスロヴァキア公使館の別荘の中から誰かがピアノを稽古《けいこ》しているらしい音が聞えて来た。私はその隣《とな》りのまだ空いている別荘の庭へ這入りこんで、しばらくそれに耳を傾《かたむ》けていた。バッハ*のト短調の遁走曲《フウグ》らしかった。あの一つの旋律《メロディ》が繰《く》り返され繰り返されているうちに曲が少しずつ展開して行く、それがまた更に稽古をしているために三四回ずつひとところを繰り返されているので、一層それがたゆたいがちになっている。……それを聴《き》いているうちに、私はまるで魔《ま》にでも憑《つ》かれたような薄気味のわるい笑いを浮べ出していた。そのピアノの音のたゆたいがちな効果が、この頃《ころ》の私の小説を考え悩《なや》んでいる、そのうちにそれがどうやら少しずつ発展して来ているような気もする、そう言った私のもどかしい気持さながらであったからだ。

＊＊＊

或る朝、「また雨らしいな……」と溜息《ためいき》をつきながら私が雨戸を繰ろうとした途端に、その節穴《ふしあな》から明るい外光が洩《も》れて来ながら、障子《しょうじ》の上にくっきりした小さな楕円《だえん》形《けい》の額縁《がくぶち》をつくり、そのなかに数本の落葉松《からまつ》の微細画《ミニュアチュア》を逆さまに描いているのを認めると、私は急に胸をはずませながら、出来るだけ早くと思って、そのため反《かえ》って手間どりながら雨戸を開けた。私が寝床《ねどこ》のなかで雨音かと思っていたのは、それ等の落葉松の細かい葉に溜《たま》っていた雨滴《うてき》が絶えず屋根の上に落ちる音だったのだ。私はさて、まぶしそうな眼つきで青空を見上げた。私は寝間着のまま一度庭のなかへ出てみたが、それから再び部屋に帰り、そしてフラノの散歩服に着換《きか》えながら、早朝の戸外へと出て行った。私は教会の前を曲って、その裏手の橡《とち》の林を突《つ》き抜けて行った。私はときどき青空を見上げた。いかにもまぶしそうに顔をしかめながら。

私が小さな美しい流れに沿うて歩き出すと、その径《みち》にずっと笹縁《ささべり》をつけている野苺《のいちご》にも、ちょっと人目につかないような花が一ぱい咲いていて、それが或る素晴《すば》らしいもののほんの小さな前奏曲《プレリュウド》だと言ったように、私を迎えた。私は例の木橋の上まで来かかると、どういう積りか自分でも分からずに二三度その上を行ったり来たりした。それから、漸《や》っと、まるで足が地上につかないような歩調で、サナトリウムの裏手の生墻《いけがき》に沿うて行った。私は最初のいくつかの野薔薇の茂《しげ》みを一種の困惑《こんわく》の中にうっかりと見過してしまったことに気がついた。それに気がついた時は、既《すで》に私は彼等の発散している、そして雨上りの湿《しめ》った空気のために一ところに漂いながら散らばらないでいる異常な香《かお》りの中に包まれてしまっていた。私は彼等の白い小さな花を見るよりも先に、彼等の発散する香りの方を最初に知ってしまったのだ。しかし私は立ち止ろうとはせずになおも歩き続けながら、私は今すれちがいつつある一つの野薔薇の上に私のおずおずした最初の視線を投げた。私は、私の胸のあたりから何かを訴《うった》えでもしたいような眼つきで私をじっと見上げている、その小さな茂みの上に、最初二つ三つばかりの白い小さな花を認めたきりだった。が、その次の瞬間《しゅんかん》には、私はその同じ茂みのうちに殆ど二三十ばかりの花と、それと殆ど同数の半ば開きかかった莟《つぼみ》とを数えることが出来た。それはごく僅《わず》かの間だったが、そんな風に私が自分の視線のなかに自分自身を集中させてしまってからと言うもの、そんなにも簇《むら》がっているそれ等の花がもう先刻《さっき》のように好い匂《におい》がしなくなってしまっていることに私は愕《おどろ》いた。そうして改めてそれを嗅《か》ごうとすると、そうするだけ一層それは匂わなくなって行くように見えた。――私は注意深く歩き続けながら、順ぐりにいくつかの野薔薇の木とすれちがって行ったが、とうとう私はいつかレエノルズ博士がその上に身を踞《こご》めていた一つの茂みの前まで来た。私は思わずそこに足を停《と》めた。――

そうして私はその野薔薇の前に、ただ茫然《ぼうぜん》として、何を考えていたのか後で思い出そうとしても思い出せないようなことばかり考えていた。どれよりも最も多くの花を簇がらせているように見えるその野薔薇とそっくりそのままのものを何処《どこ》かで私は一度見たことがあるように思えて、それをしきりに思い出そうとしていたかのようでもあった。――それはすこし長い放心状態の後では、しばしば私にやってくるところの一種独特の錯覚《さっかく》であった。放心のあまりに現在そのものの感じがなくなり、私は現在そのものをしきりに思い出そうとして焦《あせ》っているのかも知れなかった。――それから私は再び我に返って歩き出した。私の沿うて行く生墻《いけがき》には、それらの野薔薇《のばら》が、同じような高さの他の灌木《かんぼく》の間に雑《まじ》りながら、いくらかずつの間を置いてはならんでいるのだった。あたかも彼等が或る秘密な法則に従ってそう配置されてでもいるかのように。そうしてその微妙《びみょう》な間歇《かんけつ》が、ほとんど足が地につかないような歩調で歩きつつある私の中に、いつのまにか、ほとんど音楽の与えるような一種のリズミカルな効果を生じさせていた。……そうしてそれに似た或る思い出をこんどはさっきと異って、鮮明《せんめい》に私のうちに蘇《よみがえ》らせるのであった。……十年ぐらい前の或る夏休みに、私が初めてこの村へ来た時のこと、宿屋の裏から水車場のある道の方へ抜けられるようになっている、やっと一人《ひとり》だけ通れるか通れない位の、狭《せま》い、小さな坂道を上って行こうとした途中《とちゅう》で、私はその坂の上の方から数人の少女たちが笑いさざめきながら駈《か》け下りるようにして来るのに出遇《であ》った。私はそれを認めると、そういう少女たちとの出会《であい》は私の始終夢《ゆめ》みていたものであったにも拘《かかわ》らず、私はよっぽど途中から引っ返してしまおうかと思った。私は躊躇《ちゅうちょ》していた。そういう私を見ると、少女たちは一層笑い声を高くしながら私の方へずんずん駈け下りて来た。そんなところで引っ返したりすると余計自分が彼女たちに滑稽《こっけい》に見えはしまいかと私は考え出していた。そこで私は思い切って、がむしゃらにその坂を上って行った。するとこんどは少女たちの方で急に黙《だま》ってしまった。そうしてやっと笑うのを我慢《がまん》しているとでも言ったような意地悪そうな眼つきをして、道ばたの丁度彼女たちのせいぐらいある灌木の茂みの間に一人一人半身を入れながら、私の通り過ぎるのを待っていた。私は彼女たちの前を出来るだけ早く通ろうとして、そのため反《かえ》って長い時間かかって、心臓をどきどきさせながら通り過ぎて行った。……その瞬間私は、自分のまわりにさっきから再び漂いだしている異常な香りに気がついて愕いた。私がそんな風に私の視線を自分自身の内側に向け出して、ひょいと野薔薇《のばら》のことを忘れていたら、そういう気まぐれな私を責め訴えるかのように、その花々が私にさっきの香りを返してくれたのだった。そう、それ等の少女たちの形づくった生墻《いけがき》はちょうどお前たちにそっくりだったのだ！　……

私はその朝はどうしたのかクレゾオルの匂のぷんぷんするサナトリウムの手前から引返した。その向うには、その思いがけない美しさでひととき私の心を奪《うば》っていたアカシアの花が、一週間近い雨のためにすっかり散って、それが川べりの道の上にところどころ一塊《ひとかたま》りになりながら落ちているのがずっと先きの方まで見透《みとお》されていた。

それから数日間、こんどはお天気のいい日ばかりが続いていた。毎朝私は起きるとすぐその辺まで散歩に行った。しかし私はその花をつけた生墻の前にあんまり長いこと立ちもとおって*いないで、それに沿うて素通《すどお》りして来るきりの方が多かった。私は言わば、唯《ただ》、その生墻に間歇《かんけつ》的に簇《むら》がりながら花をつけている野薔薇の与える音楽的効果を楽しみさえすればよかったのであるから。だから或る時などは、それのみを楽しむために、私は故意《わざ》とよそっぽを見ながら歩いたりした。

或る朝、私はそんな風にサナトリウムの前まで行ってすぐそのまま引っ返して来ると、向うの小さな木橋を渡り、いまその生墻に差しかかったばかりのレエノルズ博士の姿を認めた。すぐ近くの自宅から病院へ出勤して来る途中らしかった。片手に太いステッキを持ち、他《ほか》の手でパイプを握《にぎ》ったまま、少し猫背《ねこぜ》になって生墻の上へ気づかわしそうな視線を注ぎながら私の方へ近づいて来た。が、私を認めると、急にそれから目を離《はな》して、自分の前ばかりを見ながら歩き出した。そんな気がした。私も私で、そんな野薔薇などには目もくれない者のように、そっぽを向きながら歩いて行った。そうして私はすれちがいざま、その老人の焦点《しょうてん》を失ったような空虚《うつろ》な眼差《まなざ》しのうちに、彼の可笑《おか》しいほどな狼狽《ろうばい》と、私を気づまりにさせずにおかないような彼の不機嫌《ふきげん》とを見抜《みぬ》いた。

それから数日後の或る朝だった。だんだんに夏らしい色を帯び出して来た美しい空が、私にだけ、突然物悲しく閉《とざ》されてしまったように見えた。毎朝のようにそれに沿うて歩きながら、しかし、よく注意して見ようとはしないでいた野薔薇の白い小さな花が、いつの間にやら殆ど全部蝕《むし》ばまれて、それに黄褐色《おうかっしょく》のきたならしい斑点《はんてん》がどっさり出来てしまっていることに、その朝、私は始めて気がついたのだった。

＊＊＊

……数年前までは半分壊《こわ》れかかった水車がごとごと音を立てながら廻《まわ》っていた小さな流れのほとりには、その大抵《たいてい》が三四十年前に外人の建てたと言われる古いバンガロオが雑木林《ぞうきばやし》の間に立ちならんでいたが、そこいらの小径《こみち》はそれが行きづまりなのか、通り抜けられるのか、ちょっと区別のつかないほど、ややっこしかったので、この村へ最初にやって来たばかりの時分には、私はひとりで散歩をする時などは本当にまごまごしてしまうのだった。確かに抜け道らしいんだが、その小径は突然外人たちのお茶などを飲んでいるヴェランダのすぐ横を通ったりするのだった。そういう私道なのか、抜け道なのか分からないような或る小径に又しても踏《ふ》み込《こ》んでしまった私は、私の背ぐらいある灌木の茂みの間から不意に私の目の前が展《ひら》けて、そこの突きあたりにヴェランダがあり、籐《とう》の寝椅子《ねいす》に一人の淡青色《たんせいしょく》のハアフ・コオトを着て、ふっさりと髪《かみ》を肩《かた》へ垂らした少女が物憂《ものう》げに靠《もた》れかかっているのを認め、のみならず、その少女が私の足音を聞きつけてひょいと私の方を振《ふ》り向いたらしいのを認めるが早いか、私は顔を赤らめながら、その少女をよく見ずに慌《あわ》てて其処《そこ》から引っ返してしまった。――その時若《も》し私がその少女をもっとよく見たら、それが数日前に私が宿屋の裏の狭い坂道ですれちがった数人の少女たちの中の一人であることに気がついて、私の狼狽はもっと大きかっただろうに。……

この頃刈《か》ったばかりらしい青々とした芝生《しばふ》が、その時にはその少女の坐《すわ》っていたヴエランダをこっちからは見えなくさせていた一面の灌木の茂みに代えられて、そうしていま私のぼんやり立っているこの小径《こみち》からその芝生を真白《まっしろ》い柵《さく》が鮮《あざ》やかに区限《くぎ》って。

……そのように、すべてが変っていた。いま私にまざまざと蘇って来たところの、そう言うような、最初に私が彼女《かのじょ》に会った当時の彼女のういういしい面影《おもかげ》と、数カ月前、最後に会った時の、そしてその時から今だに私の眼先にちらついてならない彼女の冷やかな面影と、何と異って見えることか！　彼女の容貌《ようぼう》そのものがそんなにも変ったのか、それとも私の中にその幻像《イマアジュ》が変ったのか、私は知らない。しかし何もかも、恐《おそ》らく私自身も変ってしまったのだ。……

私はそのとき向うの方から何かを重そうに担《にな》いながら私の方に近づいてくる者があるのを認めた。それは羊歯《しだ》を背負っている宿の爺《じい》やであった。私はいつか彼の話していた羊歯のことを思い出した。

私は爺やの言うがままに、彼についてその庭の中へおずおずと這入《はい》って行った。そうして爺やが庭の一隅にその羊歯を植えつけている間、私は黙ってヴェランダの床板に腰《こし》かけていた。爺やはときどき羊歯を植えつける場所について私に助言を求めた。その度毎《たびごと》に、私の胸はしめつけられた。

一通りみんな植えつけてしまうと、爺やは私のそばに腰を下ろした。私の与えた巻《まき》煙草《たばこ》を彼は耳にはさんだきり、それを吸おうとはせずに、自分の腰から鉈豆《なたまめ》の煙管《きせる》を抜《ぬ》いた。

私はふだんの無口な習慣から抜け出ようと努力しながら、これもまた機嫌買いらしい爺やを相手に世間話をし出した。

「爺やさん、峠《とうげ》の途中に気ちがいの女がいるそうだけれど、それあ本当なのかい?」

「へえ、可哀《かわい》そうにすこし気が変なんでございますよ、——先《せん》にはうちでもちょいちよい何かくれてやりましたもので、よく山からにこにこしながら、いろんな花を採って来てくれたりしましたっけが。……ただ、そいつの亭主《ていしゅ》というのが大へんな奴《やつ》でしてね、こっちからわざわざ何か持って行ってやったりしますと、いつも酔払《よっぱら》っていちゃあ、『くれるというものなら貰《もら》っといたらいいじゃねえか』と、嬶《かかあ》の気の毒がるのを叱《しか》りつけようてった調子なんですからね。……それで、こっちでもだんだん情が通わなくなって来て、この頃じゃ、もう、ちっとも構いませんです」

「何だってね、――その気ちがいって、ときどき川のなかへ飛び込むんだってね？」

「へえ、そんな人騒《ひとさわ》がせなこともときどきやりますが、あれあどうも少し狂言《きょうげん》らしいんで……」

「そうなのかい？　――どうしてまたそんな……」

私はふと口ごもりながら、あの林のなかの空地にあった異様な恰好《かっこう》をした氷倉《こおりぐら》だの、その裏の方でした得体《えたい》の知れない叫《さけ》び声だのを思い浮べた。そうしてそれ等《ら》のものを今だにこんなにも異常に私に感じさせている、峠の子供たちの不思議な領分の上を思った。――子供たちよ、よし大人《おとな》たちにはそういう狂行が贋《にせ》ものに見えようとも、お前たちは、そんな大人たちには鎖《とざ》されている、お前たちだけのその領分の中で遊べるだけ遊んでいるがいい。

爺やとの話は、私の展開さすべく悩んでいた物語のもう一人の人物の上にも思いがけない光を投げた。それはあの四十年近くもこの村に住んでいるレエノルズ博士が村中の者からずっと憎《にく》まれ通しであると言うことだった。或《あ》る年の冬、その老医師の自宅が留守中に火事を起したことや、しかし村の者は誰《だれ》一人それを消し止めようとはしなかったことや、そのために老医師が二十数年もかかって研究して書いていた論文がすっかり灰燼《かいじん》に帰したことなどを話した、爺やの話の様子では、どうも村の者が放火したらしくも見える。(何故《なぜ》そんなにその老医師が村の者から憎まれるようになったかは爺やの話だけではよく分からなかったけれど、私もまたそれを執拗《しつよう》に尋《たず》ねようとはしなかった。)――それ以来、老医師はその妻子だけを瑞西《スイス》に帰してしまい、そうして今だにどういう気なのか頑固《がんこ》に一人きりで看護婦を相手に暮しているのだった。……私はそんな話をしている爺やの無表情な顔のなかに、嘗《か》つて彼自身もその老外人に一種の敵意をもっていたらしいことが、一つの傷のように残っているのを私は認めた。それは村の者の愚《おろ》かしさの印《しる》しであろうか、それともその老外人の頑《かたく》な気質のためであろうか? ……そう言うような話を聞きながら、私は、自分があんなにも愛した彼の病院の裏側の野薔薇《のばら》の生墻《いけがき》のことを何か切ないような気持になって思い出していた。

私はヴェランダの床板《ゆかいた》に腰かけたきり、爺やがまた何処《どこ》からか羊歯を運んで来るまで、さまざまな物思いにふけりながら待っていた。それからまた爺やの羊歯を植えつけるのをしばらく見守っていた。しかし今度は黙ったままで。そうして私は老人の動かしている無気味に骨ばった手の甲《こう》を目で追っているうちに、ふいと「巨人《きょじん》の椅子《いす》」のことを思い浮《うか》べた。——私は爺やが羊歯をすっかり植えおえるのを待とうとしないで爺やと別れた。

それから数分後に、私はその巨《おお》きな岩を目のあたりに見ることのできる、例の見棄《みす》てられたヴィラの庭のなかに自分自身を見出《みいだ》した。そのヴィラに昔《むかし》住んでいた二人の老嬢《ろうじょう》のことについては爺やも私に何んにも知らせてくれなかった。「ああ、セエモオルさんですか」と言ったきりだった。何か知っていそうだったがもう忘れてしまったらしかった。そうしてただ不機嫌そうに黙っていた。「そうすると、それを知っているのはお前だけだがなあ……」と私は、いま私の下方に横《よこた》わっている高原一帯を隔《へだ》てて、私と向い合っている、遥《はる》か彼方《かなた》の「巨人の椅子」を、あたかもそのあたりに見えない巨人の姿を探してでもいるかのような眼つきで、まじまじと見まもっていた。

だんだんに日が暮《く》れだした。私のすぐ足許《あしもと》の、いつかその赤い屋根に交尾《こうび》している小鳥たちを見出したヴィラは、もう人が住まっているらしく、窓がすっかり開け放たれて、橙色《だいだいいろ》のカアテンの揺《ゆ》らいでいるのが見えた。ときおり御用聞きがその家のところまで自転車を重そうに押《お》し上げてくるらしい音が私のところまで聞えて来た。もうそろそろ私もこれまでのようにこの空家の庭でぼんやりしていられそうもないなと思った。そんな気がしだすと、何んだかもうこれがその最後の時ででもあるかのように、私は、私のすべての注意を、半分はこの荒廃《こうはい》したヴィラそのものに、半分はこの高みから見下ろせる一帯の美しい村、その森、その花咲《さ》ける野、その別荘《べっそう》、それからもう霞《かす》みながらよく見えなくなり出した丘々《おかおか》の襞《ひだ》、それだけがまだ黒々と残っている「巨人の椅子」などに傾《かたむ》け出していた。それにも拘《かか》わらず、私はときどきややもするとそれ等《ら》のものことごとくを見失い、そしてまるっきり放心状態になっている自分自身に気がついて、思わずどきっとするのだった。

突然《とつぜん》、ちょうど私の頭上にある、その周囲だけもうすっかり薄暗《うすぐら》くなっている大きな樅《もみ》の、ほとんど水平に伸《の》びた枝《えだ》の一つに、ばたばたとびっくりするような羽音をさせながら、一羽の山鳩《やまばと》が飛んできて止まった。そうしてそんなところに私のいることに向うでも愕《おどろ》いたように、再びすぐその枝から、薄暗いために一層大きく見えながら、それは飛び去って行った。あたかも私自身の思惟《イデエ》そのものであるかのごとく重々しく羽搏《はばた》きながら、そしてその翼《つばさ》を無気味に青く光らせながら……。

夏

突然、私の窓の面している中庭の、とっくにもう花を失っている躑躅《つつじ》の茂《しげ》みの向うの、別館《べつかん》の窓ぎわに、一輪の向日葵《ひまわり》が咲きでもしたかのように、何んだか思いがけないようなものが、まぶしいほど、日にきらきらとかがやき出したように思えた。私はやっと其処《そこ》に、黄いろい麦藁帽子《むぎわらぼうし》をかぶった、背の高い、痩《や》せぎすな、一人《ひとり》の少女が立っているのだということを認めることが出来た。……誰かを待っているらしいその少女は、さっきから中庭のあちらこちらに注意深そうな視線をさまよわせていたが、最後にその視線を、離《はな》れの窓から彼女の方をぼんやり見つめていた私の上に置いた。そんな最初の出会《であい》の時には、大概《たいがい》の少女たちは、自分が見つめられていると思う者からわざとそっぽを向いて、自分の方ではその者にまったく無関心であることを示したがるものだが、そんな羞恥《しゅうち》と高慢さとの入り混った視線とは異って、私の上に置かれているその少女の率直《そっちょく》な、好奇心《こうきしん》でいっぱいなような視線は、私にはまぶしくってそれから目をそらさずにはいられないほどに感じられたので、私はそのときの彼女——最初に私の目の前に現れたときの彼女に就《つ》いては、そのやや真深かにかぶった黄いろい帽子と、その鍔《つば》のかげにきらきらと光っていた特徴《とくちょう》のある眼《まな》ざしとよりほかには、殆《ほと》んど何も見覚えのない位であった。……やがて別館から彼女の父らしいものが姿を現した。そしてその二人づれは私の窓の前を斜《なな》めに横切って行ったが、見ると、彼女はその父よりも背が高いくらいであった。そしてその父らしいものが彼女にしきりに話しかけるのに、彼女はいかにも気がなさそうに返事をしながら、いつまでも私の方へ躑躅《つつじ》の茂みごしにその特徴のある眼ざしをそそぎつづけていた。……その二人が中庭を立ち去ってしまった跡《あと》も、私はしばらく、今しがたまでその少女が向日葵《ひまわり》のように立っていた窓ぎわの方へ、すこし空虚《うつろ》になった眼ざしをやっていたが、ふと気づくと、そこいらへんの感じが、それまでとは何んだかすっかり変ってしまっているのだ。私の知らぬ間に、そこいら一面には、夏らしい匂《にお》いが漂《ただよ》い出しているのだった。……

その日の夕方の、別館の方への私の引越《ひっこ》し、(今まで私の一人で暮らしていた、古い離れが修繕《しゅうぜん》され始めるので――）その次ぎの日の、その少女の父の出発、それから他《ほか》にはまだ一人も滞在客《たいざいきゃく》のないそんな別館での、その少女と二人っきりの、背中合わせの暮らし……。

しかし私は毎日のように、ほとんど部屋に閉じこもったきりで、自分の仕事に没頭《ぼっとう》していた。その私の書きつつある「美しい村」という物語は、六月頃からこの村に滞在している私が、そんなまだ季節はずれの、すっからかんとした高原で出会ったことを、それからそれへと書いて行ったものだった。そうして私は丁度いま、私がそれまで昔の恋人《こいびと》に対する一種の顧慮《こりょ》から、その物語の裏側から、そして唯《ただ》、それによってその淡々《たんたん》とした物語に或る物悲しい陰影《ニュアンス》を与《あた》えるばかりで満足しようとしていた、この村での数年前の彼女たちとの花やかな交際の思い出、ことにこの村での彼女たちとの最初の歓《よろこ》ばしい出会いを、とある日、道ばたに咲き揃《そろ》っている野薔薇《のばら》の花がまざまざと私のうちに蘇《よみがえ》らせ、それが遂《つい》に思いがけぬ出口を見つけた地下水のように、その物語の静かな表面に滾々《こんこん》と湧《わ》きあがってくるところを書き終えたばかりのところだった。そうしてそういう昔のさまざまな歓ばしい出会いの追憶《ついおく》に耽《ふけ》っている暇《ひま》もなく、すでに私から巣立っていったそれらの少女たち、ことにそのうちの一人との気まずい再会を恐れて、季節に先立ってこの村を立ち去ろうとする、そんな私の悲しい決心を、その物語の結尾として、私はこれから書こうとしているところだった。

私の新しい部屋は、別館の二階の奥《おく》まったところで、南向きの窓があり、そしてその窓からは数本の大きな桜の幹ごしに向うの小高い水車の道に面しているいくつかのヴィラの裏側がちらちらと見えていた。そしてその窓のすぐ下を、私がそれらの少女たちと初めて出会ったところの、例の抜け道が、小さな坂になりながら、灌木《かんぼく》のなかに細々と通っているのだった。……私は私のやりかけている仕事から気持をそらすまいとして、私とたった二人きりでその別館の中に暮らしだしているその未知の少女とは、わざと背中を向き合わせてばかりいた。その癖《くせ》、私は私の窓のすぐ下を通っているその坂道を、毎朝、一定の時刻に、絵具箱をぶらさげながら、その少女が水車の道の方へと昇《のぼ》ってゆくのを見逃《みのが》したことはなかった。丁度、午前中のその時刻の光線の具合《ぐあい》で、木洩《こも》れ日《び》がまるで地肌《じはだ》を豹《ひょう》の皮のように美しくしている、その小さな坂を、ややもすると滑《すべ》りそうな足つきで昇ってゆくその背の高い、痩せぎすな後姿を見送りながら、その上の水車の道に出て、さて、それから彼女はどの小径《こみち》をどう通って、どんな場所へ絵を描きに行くのだろうかと、そこいらの林のなかの小径が実にややこしく、私自身も初めてこの村へ来た当時は、何度も道に迷ってしまった位ではあったし、それにまたそんなことからして一人の少女と私との奇妙《きみょう》な近づきが始まったりしたので、私は、絵を描く場所を捜《さが》しながらそんな見知らぬ小径をさまよっているらしい彼女のことを、何となく気づかわしく思っていた。

*
**

しかし私は最初のうちはその少女を、唯、そんな風に私の窓からだの、或《あ》るいは廊下《ろうか》などでひょっくり擦《す》れちがいざま、目と目とを合わせないようにして、そっと偸《ぬす》み見ていたきりであった。そんな具合で、私は彼女の顔を、まだ一度も、まともに眺《なが》めたことがなく、それに私の見たときは、いつも静止していないで、しかもそれぞれに異った角度から光線を受けていたせいか、見る度毎《たびごと》に、その顔は変化していた。或る時は、そのやや真深かにかぶった黄いろい麦藁帽子《むぎわらぼうし》の下から、その半陰影《はんいんえい》のなかにそれだけが顔の他の部分と一しょに溶《と》け込《こ》もうとしないで、大きく見ひらかれた眼が、きらきらと輝《かがや》いていた。またそんな帽子をかぶらずに、庭園の中などで顔いっぱいに強い光線を浴びながら、まぶしそうにその眼を半分閉《と》ざしているおかげで、平生の特徴を半分失いながら、そしてその代りにその瞬間《しゅんかん》までちっとも目立たないでいた脣《くちびる》だけが苺《いちご》のように鮮《あざや》かに光りながら、ほとんど前のとは別の顔に変ってしまうこともあった。

そのうちに私たちがやっと短い会話を取り交《か》わすようになり、それと共に、屢《しば》しば、私は彼女の顔をまともから眺めるようになったのにも拘《かかわ》らず、彼女の顔がなおも絶えず変化しているのに愕《おどろ》いた。或る時は、その顔はあんまり血色がよく、すべすべしているので、私のためらいがちな視線はいくどもその上で空滑《からすべ》りをしそうになった。また他の時はすこし疲《つか》れを帯びたように沈《しず》んで、不透明《ふとうめい》で、その皮膚《ひふ》の底の方にはなんだか菫色《すみれいろ》のようなものが漂っているように見えた。そうかと思うと、その皮膚がすっかり透明になり、ぽうっと内側から薔薇色《ばらいろ》を帯びているようなこともあった。ときどき以前に見たのと何処《どこ》か似たような顔をしていることもあった。が、その顔は決して二度と同じものであることはなかった。

或る日のこと、私は自分の「美しい村」のノオトとして悪戯《いたずら》半分に色鉛筆《いろえんぴつ》でもって丹念《たんねん》に描いた、その村の手製の地図を、彼女の前に拡《ひろ》げながら、その地図の上に万年筆で、まるで瑞西《スイス》あたりの田舎《いなか》にでもありそうな、小さな橋だの、ヴィラだの、落葉松《からまつ》の林だのを印《しる》しつけながら、彼女のために、私の知っているだけの、絵になりそうな場所を教えた。その時、私のそんな怪《あや》しげな地図の上に熱心に覗《のぞ》き込んでいる彼女の横顔をしげしげと見ながら、私は一つの黒子《ほくろ》がその耳のつけ根のあたりに浮んでいるのを認めた。その時までちっともそれに気がつかないでいた私には、何んだかそれはいま知らぬ間に私の万年筆からはねたインクの汚点《しみ》かなんかで、拭《ふ》いたらすぐとれてしまいそうに思えたほどだった。

翌日、私は彼女が私の貸した地図を手にして、早速《さっそく》私の教えたさまざまな村の道を一とおり見歩いて来たらしいことを知った。それほど私の助言を素直《すなお》に受入れてくれたことは、私に何んとも言いようのない喜びを与えた。

＊
＊＊

そんな村の地図を手にして、彼女《かのじょ》がひとりで散歩がてら見つけて来た、或るささやかな渓流《けいりゅう》のほとりの、蝙蝠傘《こうもりがさ》のように枝を拡げた、一本の樅《もみ》の木の下に、彼女が画架《がか》を据《す》えている間、私はその画架の傍《そば》から、数本のアカシアの枝を透しながらくっきりと見えている、程《ほど》遠くの、真っ白な、小さな橋をはじめて見でもするように見入っていた。それは六月の半ば頃《ころ》、私が峠《とうげ》から一緒《いっしょ》に下りてきた二人の子供たちと別れた、あの印象の深い小さな橋であった。――私は、彼女がしゃがみながら、パレットへ絵具をなすりつけ出すのを見ると、彼女の仕事を妨《さまた》げることを恐《おそ》れて、其処《そこ》に彼女をひとり残したまま、その渓流に沿うた小径をぶらぶら上流の方へと歩いて行った。しかし私は絶えず私の背後に残してきた彼女にばかり気をとられていたので、私の行く手の小径の曲り角の向うに、一つの小さな灌木が、まるで私を待ち伏《ぶ》せてでもいたように隠《かく》れていたのに少しも気づかずに、その曲り角を無雑作《むぞうさ》に曲ろうとした瞬間、私はその灌木の枝に私のジャケツを引っかけて、思わずそこに足を止めた。見ると、それは一本の花を失った野薔薇だった。私はやっとのことで、その鋭《するど》い棘《とげ》から私のジャケツをはずしながら、私はあらためてその花のない野薔薇を眺めだした。それが白い小さな花を一ぱいつけていた頃には、あんなにも私がそれで楽しんでいた癖に、それらの花がひとつ残らず何処かに立ち去ってしまった今は、そんな灌木のあることにすら全然気づこうとしなかった私に対して、それが精一杯《せいいっぱい》の復讐《ふくしゅう》をしようとして、そんな風に私のジャケツを噛《か》み破ったかのようにさえ私には思えた。……そういう花のすっかり無くなった野薔薇をしばらく前にしながら、私はいつか知らず識《し》らずに、それらの白い小さな花のように何処へともなく私から去っていった少女たちのことを思い出していた。……この頃、ともすると、一人の新しい少女のために、そんな昔《むかし》の少女たちのことを忘れがちであったが、そう言えば、彼女たちがこの村においおいとやって来る時期ももう間ぢかに迫《せま》っているのだ。彼女たちが来ないうちに私はこの村をさっと立ち去ってしまった方がいい。そうしなくっちゃいけない。――そう自分で自分に言って聞かせるようにしながら、その一方ではまた、この頃やっと自分の手に這入《はい》りかけている新しい幸福を、そうあっさりと見棄《みす》てて行けるだろうかどうかと疑っていた。そうして私は自分の気持をそのどちらにも片づけることが出来ずに、自分で自分を持て余しながら、かれこれ一時間近くもその山径《やまみち》をさまよっていた。そうしてその挙句《あげく》、私がやっと気がついた時には、そんな風に歩きながら自分でも知らずに何度も指で引張っていたものと見えて、私の鼠色《ねずみいろ》のジャケツの肩《かた》のところに出来たその小さな綻《ほころ》びは、もう目立つくらいに大きくなっていた。――私はとうとう踵《きびす》を返して、再び渓流づたいにその山径を下りてきた。そうして私は自分の行く手に、真っ白な、小さな橋と、一本の大きな蝙蝠傘のような樅の木を認めだすと、私はすこし歩みを緩《ゆる》めながら、わざと目をつぶった。その木蔭《こかげ》になって見えずにいるものを、私のすぐ近くに、不意に、思いがけぬもののように見出《みいだ》したかったのだ。……とうとう私は我慢《がまん》し切れずに私の目を開けてみた。しかし彼女は私からまだ十数歩先きのところにいた。そうしてその木蔭にしゃがみながらそれまでパレットを削《けず》っていたらしい彼女が、その時つと立ち上って、私にはすこしも気がつかないように、描きかけのカンバスを画架からとりはずすと、それを道ばたの草の上へいかにも投げやりに、乱暴なくらいにほうり出したところだった。ほうり出された大きなカンバスは、しかしひとりでにふんわりとなりながら、草の上へ倒《たお》れて行った。それを見ると、私は彼女のそばへ駈《か》けつけた。

「僕が持っていて上げよう」

「いいわ……いつもひとりでするんですから」

「意地わる！」

「意地わるでしょう」

私は彼女とそんな風に子供らしく言い合いながら、無理にカンバスを引ったくると、それを自分の肩にあてがいながら、彼女と並《なら》んで村の街道《かいどう》を宿屋の方へと歩いて行った。ときおり私たちは散歩をしている西洋人や村の子供たちとすれちがった。彼等《かれら》のもの珍《めず》らしそうな視線は私たちを——殊《こと》にまだこの村に慣れない彼女を気づまりにさせているらしかった。私は私で、そういう彼女をつとめて気軽にさせようと思って、私の空いている方の手を自分の肩の上へやりながら、

「ほら、こんな穴が出来ちゃった……さっき一人で散歩しているとき野薔薇《のばら》にひっかかったのさ」

そう言って、その肩の穴がもっと大きくなるのも構わずに、それをよく彼女に見せようとして、自分のジャケツを引張って見せたりした。そうして私はこんなにまで私と打ち解け合いだしているこの少女を振《ふ》り棄《す》てて、自分ひとりこの村を立ち去るなんぞということは、到底出来そうもないと考え出していた。

＊＊＊

私の「美しい村」は予定よりだいぶ遅《おく》れて、或る日のこと、漸《や》っと脱稿《だっこう》した。すでに七月も半ばを過ぎていた。そうして私はそれを書き上げ次第、この村から出発する

つもりであったのに、私はなおも、そういう一人の少女のために、一日一日と私の出発を延ばしながら、私がその物語の背景に使った、季節前の、気味悪いくらいにひっそりした高原の村が、次第次第に夏の季節《シイズン》にはいり、それと同時にこの村にもぽつぽつと避暑客《ひしょきゃく》たちが這入り込んでくるのを、私は何んだか胸をしめつけられるような気持で、目《ま》のあたりに迎《むか》えていた。

私はしばしばその少女と連れ立って、夕食後など、宿の裏の、西洋人の別荘《べっそう》の多い水車の道のあたりを散歩するようになっていた。そんな散歩中、ときおり、一月《ひとつき》前までは私と一しょに遊び戯《たわむ》れたりしたことさえある村の子供たちと出会《であ》うようなこともあったが、彼等は私たちの傍を素知らぬ顔をして通り抜《ぬ》けていった。もう私を覚えていないのだろうか、それとも私がそんな見知らない少女と二人づれなのを異様に思ってそうするのだろうか？　……しかしそれらの子供たちも、そのうちだんだんに、そんな林の中で最初のうちは私たちのよく見かけたものだった、さまざまな小鳥などと共に、その姿をほとんど見せないようになった。そしてその代り、私たちとすれちがいながら、私たちに好奇的な眼《まな》ざしを投げてゆく、散歩中の人々や、自転車に乗った人々などがだんだんに増えて来た。それらの中には私と顔見知りの人たちなども雑《まじ》っていた。私はいつかこんなところをひょっくり昔の女友達にでも出会いはしないかと一人で気を揉《も》んでいたが、ときどき、そんな散歩の途中《とちゅう》に、ふと向うからやってくる人々のうちに遠見がどこかそれらに似たような人があったりすると、私は慌《あわ》てて、その人たちを避《さ》けるために、道もないような草の茂《しげ》みのなかへ彼女を引っ張りこんで、何んにも知らない彼女を駭《おどろ》かせるようなこともあった。

そんな風に、私は彼女と暮方近い林のなかを歩きながら、まだ私が彼女を知らなかった頃、一人でそこいらをあてもなく散歩をしていたときは、あんなにも私の愛していた瑞西《スイス》式のバンガロオだの、美しい灌木《かんぼく》だの、羊歯《しだ》だのを、彼女に指して見せながら、私はなんだか不思議な気がした。それ等のものが今ではもう私には魅力《みりょく》もなんにも無くなってしまっていたからだ。そうして私は彼女の手前、それ等のものを今でも愛しているように見せかけるのに一種の努力をさえしなければならなかった。それほど、私自身は私のそばにいる彼女のことで一ぱいになってしまっているのだった。……そうしてそんな薄《うす》ぐらい道ばたなどで、私は私の方に身を靠《もた》せかけてそれ等のものをよく見ようとしている彼女のしなやかな肩へじっと目を注ぎながら、そっとその肩へ私の手をかけても彼女はそれを決して拒《こば》みはしないだろうと思った。そして私は或《あ》る時などは、その肩へさりげないように私の手をかけようとして、彼女の方へ私の上半身を傾《かたむ》けかけた。私の心臓は急にどきどきしだした。が、それよりももっとはげしく彼女の心臓が鼓動《こどう》しているのを、その瞬間、私は耳にした。そしてそれが私に、そういう愛撫《あいぶ》を、ほんのそのデッサンだけで終らせた。……私はまだその本物を知らないのだけれど、それが与えるのとちっとも異《ちが》わないような特異《ユニイク》な快さを、そのデッサンだけでもう充分《じゅうぶん》に味《あじわ》ったように思いながら。

＊＊＊

一体、「水車の道」というのは、郵便局やいろんな食料品店などのある本通りの南側を、それと殆《ほと》んど平行しながら通っているのだが、それらの二つの平行線を斜《はす》かいに切っている、いくつかの狭《せま》い横町があった。そんな横町の一つに、その村で有名な二軒《けん》の花屋があった。二軒とも藁屋根《わらやね》の小さな家だったが、共に、その家の五六倍ぐらいはあるような、大きな立派な花畑に取り囲まれていた。そしてその二つの花畑を区切って、いつも気持のよいせせらぎの音を立てながら流れているのは、数年前まで、そのずっと上流のところでごとごとと古い水車を廻転《かいてん》させていたところの、あの小さな流れであった。そしてその一方の花畑などは、水車の道を越《こ》して、更《さ》らにその道の向うまで氾濫《はんらん》していた。……つい先頃までは、あんなに何処《どこ》もかしこも花だらけであったこの村では、この二軒の花屋は、ほとんどその存在さえ人々から忘れられていた位であったが、やがてその季節が過ぎ、それらの野生の花がすっかり散って、それと入れ代りに今度は、これらの畑で人工的に育て上げられた、さまざまな珍らしい花が、一どにどっと咲《さ》き出したものだから、その横町を通り抜ける者は誰《だれ》しもその美しい花畑に眸《ひとみ》をみはらないものは無いくらいであった。だが、その二軒並んだ花屋の前を通りすがりに、注意をしてそれらの店の奥《おく》に坐《すわ》っている花屋の主人たちに目を止めた者は、一層の愕《おどろ》きのためにその眸をもっと大きくせずにはいられなかったであろう。と言うのは、その一方の店の奥にきょとんと坐っている白い碁盤縞《ごばんじま》のシャツを着た小柄《こがら》な老人を認めたのち、次の花屋の前にさしかかると、何んとその奥にも、つい今しがたもう一方の奥に見かけたばかりのと寸分も異《ちが》わない、小柄な老人が、やはり同じような白い碁盤縞のシャツを着て、きょとんと腰《こし》をかけ、往来の方を眺めているのに気づくだろうからだ。ただ異うのは、そんな二人のそばに坐っているのが、一方はいつも髪《かみ》の毛をくしゃくしゃにさせた、肥《ふと》っちょの女房《にょうぼう》であったし、もう一方はそれと好対照をしている位に痩《や》せっぽちの、すこし藪睨《やぶにら》みらしい女房であることだ。つまり、その二軒の花屋の老いたる主人たちは、ほとんど瓜《うり》二つと云《い》っていいほどの、兄弟なのであった。その上、可笑《おか》しいことには、この花屋の兄弟はとても仲が悪くて、夏場だけはお互《たがい》に仲好《なかよ》さそうに口を利《き》き合いながら商売をしているが、さて夏場が過ぎてしまうと、すぐに性懲《しょうこ》りもなく喧嘩《けんか》をし始め、冬の間などは、お互に一言も口を利かずに過ごすようなことさえあると言うことだった。――そんな風変りな二軒《けん》の花屋のある横町には、道ばたに数本の小さな樅《もみ》と楓《かえで》とが植えられてあったが、その一番手前の小さな楓の木に、ついこの間のこと、「売物モミ二本、カエデ三本」という真新しい木札《きふだ》がぶらさげられた。そしていまや、その横町の両側の花畑には、向日葵《ひまわり》だの、ダリヤだの、その他さまざまの珍らしい花が真っさかりであった。……

私はそんな二軒の花屋の物語を彼女に聞かせながら、その私の大好きな横町へ、彼女の注意を向けさせた。

水車の道の上へ大きな枝を拡《ひろ》げている、一本の古い桜《さくら》の木の根元から、その道から一段低くなっている花畑の向うに、店の名前を羅馬字《ロオマじ》で真白にくり抜いた、空色の看板が、さまざまな紅だの黄だのの花とすれすれの高さに、しかしそれだけくっきりと浮《う》いて見えている。――そんな角度から見た一軒の花屋の屋根とその花畑を、彼女は或る日から五十号のカンバスに描《えが》き出した……。

しかしその水車の道はそのへんの別荘の人たちが割合に往《ゆ》き来するので、彼女のまわりにはすぐ人だかりがして困るらしかったが、私は一遍《ぺん》もその絵を描いている場所へ近づこうとはしないでいた。そんな人目につき易《やす》い場所で私が彼女と親しそうにしているのを、私の顔見知りの人々に見られたくなかったからだ。で、私は自分の部屋に閉《と》じこもったきりで、この頃やっと書き上げたばかりの原稿へ最後の手入れをし続けていた。(しかし、その間一番余計に私の考えていたのは、やっぱり彼女のことであった。)——が、私はその花屋を描いているところを遠くからなりと、一度見て置きたいと思って、或る朝、宿屋の裏の坂を上りながら水車の道まで出ていって見た。そうして私は、その道の向うの、大きな桜の木の下に立って、パレットを動かしている彼女と、それから彼女の横からその画布を覗《のぞ》き込《こ》みながら、一人のベレ帽《ぼう》をかぶった若い男が、何やら彼女に話しかけているのを認めた。私はそんな男が早く彼女のそばを立ち去ってくれればいいにと、すこしやきもきしながら、待っていた。——「誰れ？　いまの人……」やっとその男が立ち去ったのを見ると、私は急いで彼女の方へ近づいて行きながら、いかにも何気《なにげ》なさそうに訊《き》いた。

「画家《えかき》さんなんですって……何んだか、あんまり何時《いつ》までも見ていらっしゃるんで、私、厭《いや》になっちゃった……」

彼女はわざとらしく顔をしかめて見せた。それからすこし恐《こわ》いような眼つきをして花畑の一部を見つめだした。熱心に絵を描こうとしているときの彼女が、こんな男のような、きびしい眼つきになるのを私はよく知っていたものだから、私はそれっきり黙《だま》っていた……。

そんな風に、私がちょっとでも彼女から離《はな》れている間に、私なしに、彼女がこの村で一人きりで知り出しているすべてのものが、私に漠《ばく》として不安を与《あた》えるのだった。

或る日、彼女は、昔は其処《そこ》に水車場があったと私の教えた場所のほとりで、屢《しば》しば、背中から花籠《はなかご》を下ろして、松葉杖《まつばづえ》に靠《もた》れたまま汗《あせ》を拭《ふ》いている、跛《ちんば》の花売りを見かけることを私に話した。彼女の話すようなものをついぞ見かけたことのない私には、そんな跛の花売りのようなものと彼女が屢しば出会うことすら、自分でも可笑《おか》しいくらい、気になってならなかった。

＊
＊＊

或る朝、私は私の窓から彼女が絵具箱をぶらさげて、裏の坂を昇《のぼ》ってゆくのを見送った後、そのまんまぼんやり窓にもたれていると、しばらくしてからその同じ坂を、花籠を背負い、小さな帽子をかぶった男が、ぴょこんぴょこんと跳《は》ねるような恰好《かっこう》をして昇ってゆくのが認められた。よく見ると、その男は松葉杖をついているのだ。あ、こいつだな、彼女がモデルにして描きたいと言っていた跛の花売りというのは！……そういう後姿だけではよくわからなかったが、その男は、この村の花売り共が大《たい》概《がい》よぼよぼの老人ばかりなのに、まだうら若い男らしかった。それが一層片輪の故にそんな花売りなんかしていることを物哀《ものあわ》れに感じさせた。――そうして、その悲しげな跛の花売りを、私は自分自身の眼で見知るや否《いな》や、彼女がその姿を絵に描いてみたいと言っていただけでもって、その跛の花売りに私の抱《いだ》いていた、軽い嫉妬《しっと》のようなものは、跡方《あとかた》もなく消え去った。……

しかし、数日前水車の道で彼女に親しげに話しかけていたところを私の目撃《もくげき》した、あの画家だという、ベレ帽をかぶっていた青年は、その顔なんか明瞭《めいりょう》には覚えていなかったが、それだけ一層、その男の漠とした存在は、何かしら私を不安にさせずにはおかなかった。彼女はその画家のことはそれっきり何んにも私に話さなかったが、ひょっとしたら彼女はそれまでに何遍もその画家に出会っており、そして私の知らない間に互に親しくなりだしているのではないかと云うような懸念《けねん》さえ私は持ちはじめていた。そうして或る日のこと、そういう私の懸念を一そう増させずにはおかないような出会いを私たちはその画家としたのだった。――やっと彼女が花屋の絵を描き上げたので、次の絵を描く場所を捜《さが》すために、或る晴れた朝、私は彼女と一緒《いっしょ》に、すこし遠いけれど、サナトリウムの方へひさしぶりで出かけてみることにした。私たちが、小さな集りのあるらしい、少人数の西洋人の姿が窓ごしにちらちら見える、教会の前を通りぬけて、その裏の、いつも人気《ひとけ》のない橡《とち》の林の中へはいろうとした途端《とたん》、私たちの行く手の、その林のなかの小径《こみち》をば、一人《ひとり》の男が、帽子もかぶらずに、スケッチ・ブックらしいものを手にしながら、ぶらぶらしているのを私たちは認めた。「いつかの画家さんよ……又《また》、お会いしたわ」――彼女《かのじょ》にそう注意をされるまでは、私はその男が、この頃《ごろ》何の理由もなく私を苦しめ出している、そのベレ帽の画家と同じ男であることには気づかなかった位であった。それほど私はその画家については何んにも見覚えがなかったのだ。私は、私たちの方へぶらぶら歩いてくるその男からは、つとめて私の視線をはずしながら、急に早口にとりとめもないことを彼女に話し出した。私は彼女が私の話に気をとられてその男の方へはあんまり注意しないようにと仕掛《しか》けたのだ。しかし彼女は私の言うことには何んだか気がなさそうに応《こた》えるだけであった。そして彼女は、私がそばにいるのでひどく曖昧《あいまい》にされたような好意に充《み》ちた眼ざしで、その男の方を見つめていた。少くとも私にはそんな気がした。すると、その男の方でも、私の知らないこの前の出会いの際に、彼女と交換《こうかん》した親しげな視線の続きとでも言ったような意味ありげな視線を彼女の方へ投げかけながら、そして思い出し笑いのようなものをふいと浮べながら、軽く会釈《えしゃく》をして、私たちのそばを通り抜けて行った。

私はなんだか急に考えごとでもし出したかのように黙り込んだ。私たちはその橡《とち》の林を通り抜けて、いつか小さな美しい流れに沿い出していた。しかし私はいま自分の感じていることが何処《どこ》まで真実であるのか、そんなことはみんな根も葉もないことなんじゃないかと疑ったりしながら、気むずかしそうに沈黙《ちんもく》したまま、自分の足許《あしもと》ばかり見て歩いていた。そうして私は、そんな自分の疑いに対するはっきりした答えを恐《おそ》れるかのように、いつまでも彼女の方を見ようとはしないでいた。が、とうとう私は我慢《がまん》し切れなくなってそんな沈黙の中からそっと彼女の横顔を見上げた。そして私は思ったよりももっと彼女がその沈黙に苦しんでいるらしいのを見抜いた。そういう彼女の打ち萎《しお》れたような様子は私にはたまらないほどいじらしく見えた。突然《とつぜん》、後悔《こうかい》のようなもので私の胸は一ぱいになった。……私がほとんど夢中《むちゅう》で彼女の腕《うで》をつかまえたのは、そんなこんながらがった気持の中でだった。彼女はちょっと私に抵抗《ていこう》しかけたが、とうとうその腕を私の腕のなかに切なそうに任せた。……それから数分経《た》ってから初めて、私はやっと自分の腕の中に彼女がいることに気がついたように、何んともかんとも言えない歓《よろこ》ばしさを感じ出した。

私たちは、少しぎごちなさそうに腕を組んだまま、例の小さな木橋を渡った。それからその流れの反対の側に沿って、サナトリウムへの道に這入《はい》って行った。その途中にずっと続いている野薔薇《のばら》の生墻《いけがき》は、既《すで》にその白い小さな花をことごとく失った跡だった。そんな葉ばかりになってしまっている野薔薇の茂みは、それらが花を一ぱいつけていた頃のことを、殆んど強制的に私に思い出させはしたけれど、私はそれがどんなになっていようとも、もうそれには少しも感動できなくなっていた。それほどあの頃からすべてが変っていた。そしてそれが何もかも自分の責任のような気がされて、私はふっと気が鬱《ふさ》いだ。……が、それらの生墻の間からサナトリウムの赤い建物が見えだすと、私は気を取り直して、黄いろいフランス菊《ぎく》がいまを盛《さか》りに咲きみだれている中庭のずっと向うにある、その日光室《サン・ルウム》を彼女に指して見せた。丁度、その日光室の中には快癒期《かいゆき》の患者《かんじゃ》らしい外国人が一人、籐椅子《とういす》に靠《もた》れていたが、それがひょいと上半身を起して、私たちの方をもの憂《う》げな眼《まな》ざしで眺《なが》め出した。——それから私たちは、なおもその流れに沿って、そこいらへんから次第にアカシアの木立に縁《ふち》どられだす川沿いの道を、何処までも真直に進んで行った。それらのアカシアの花ざかりだった頃は、その道はあんなにも足触《あしざわ》りが軟《やわら》かで、新鮮《しんせん》な感じがしていたのに、今はもう、あちこちに凸凹《でこぼこ》ができ、汚《きたな》らしくなり、何んだかいやな臭《にお》いさえしていた。その上、それらのアカシアの木立は、まだみんな小さいので、はげしい日光から私たちを充分《じゅうぶん》に庇《かば》うことが出来ないので、その川沿いの道はそれまでの道よりも一層暑いように思えた。私たちは途中からそれらのアカシアの間をくぐり抜けて、丁度サナトリウムの裏手にあたる、一面に葦《よし》の這っている、いくぶん荒涼《こうりょう》とした感じのする大きな空地へ出た。其処《そこ》からは、村の峠《とうげ》が、そのまわりの数箇《すうこ》の小山に囲繞《いにょう》されながら、私たちの殆んど真向うに聳《そび》えていた。――梅雨期《ばいうき》には、その頃の私自身の心の状態のせいだったかも知れないが、その奥には何かしら神秘的なものがあるように思えてならなかった。その峠も、いまは何物をも燃やさずにはおかないような夏の光線を全身に浴びながら、何んだか炎《ほのお》のようにゆらめいているような感じで、私たちに迫《せま》っていた。……

彼女は、その燃ゆるような山なみを、サナトリウムの赤い屋根を前景に配置しながら、描いてみたいと言った。そしてそれを適当な角度から描くために、そんなはげしい光線の直射するのにも無頓著《むとんじゃく》のように、その空地のやや小高いところを選ぶと、三《さん》脚台《きゃくだい》を据《す》えて、その上へ腰かけ、斜《なな》めにかぶった運動帽の下からときどきまぶしそうな顔を持ち上げながら、その下図をとりだした。……私は彼女の仕事の邪魔《じゃま》にならないように、いつものように彼女を其処に一人きり残しながら、再びさっきの土手に出て、やや大きなアカシアの木蔭《こかげ》を選んで、そこに腰を下ろしていた。そうして私の前の小さな流れの縁を一羽の鶺鴒《せきれい》が寂《さび》しそうにあっちこっち飛び歩いているのにぼんやり見入っていると、突然、私の背後のサナトリウムの方からその土手をうんうん言いながら重たそうに荷車を引いてくる者があるので、私は道をあけようとして立ち上った。見ると、それは一台の塵芥車《ごみぐるま》だった。私は、とんでもないものがこんなところを通るんだなあと思いながら、道ばたの灌木《かんぼく》の中へすっぽりと身体《からだ》を入れながら、よそっぽを向いていた。が、その塵芥車がやっと私の背後を通り過ぎたらしいので、何気《なにげ》なくちらりとそれへ目をやると、その箱車のなかには、鑵詰《かんづめ》の鑵やら、唐《とう》もろこしの皮やら、英字新聞の黄ばんだのやら、草花の枯《か》れたのやらが、一種汚らしい美しさで、ぎっしりと詰《つ》まっていた。そしてその車の通った跡には、いつまでも腐《くさ》った果物に似た匂《にお》いが漂《ただよ》っていた。……私はこんな塵芥車のようなものにも、いかにもこの外国人の多い村らしい独得な美しさのあるのを面白《おもしろ》がって、それをちょっと見送った後、再びさっきのアカシアの木蔭へぼんやり腰を下ろしていると、ものの数分と経たないうちに、私はまたしても私の背後へ近づいてくる車の音でもって、立ち上らなければならなかった。それもまた、前のとそっくり同じような、塵芥車だった。そしてそれから小一時間ばかりの間に、私はこの土手を通りすぎる同じような塵芥車を、ほとんど十台ぐらい数えることが出来た。——何処かこの先きの方にでも、きっとこの村の芥《ごみ》棄《す》て場があるんだなと、それにはじめて気がつくや否《いな》や、私は漸《や》っとのことで、このサナトリウムの土手がこんなに凸凹になり、汚らしくなっている原因にも気がつきだした。そうしてそれとほとんど一緒に、もうこんなにこの村には沢山《たくさん》の外国人がはいり込んでいるのかなあと思いながら、私はすこし呆気《あっけ》にとられたように、いましがた私の背後を通り過ぎて行ったばかりの、その最後の塵芥車《ごみぐるま》をいつまでも見送っていた。……

暗い道

「どっちへ向いて行くんだか、私にはちっとも分らないわ」彼女はいくらか上《うわ》ずったような声で言った。

「実は僕にも分らなくなっちゃったのさ……」私はそう返事をしながら、彼女の方を見やったが、その白い顔の輪廓《りんかく》がもうほとんど見分けられないくらいの暗さになりだしていた。実際私自身にもこんな風に私たちの歩いている山径《やまみち》の見当がちょっと付きかねていたのだけれど、私はわざとそれを冗談《じょうだん》のように言い紛《まぎ》らわせていたのだった。

――その日、私が私の「美しい村」の物語の中に描《えが》いた、二人の老嬢《ろうじょう》たちのもと住まっていた、あの見棄《みす》てられた、古いヴィラの話を彼女にして聞かせると、それをしきりに見たがったので、私自身はもうそんなものは見たくもなかったのだけれど、その荒《あ》れ果てたヴェランダから夕暮《ゆうぐ》れの眺めがいかにも美しかったのを思い出して、夕食後、ともかくもそのヴィラまで登って行ってみることにした。恐らくあの家はまだあのまんまになっているだろうと予想しながら。……が、だんだんそのヴィラが近づいてくるにつれ、私は何んだか急にそんな自分の夢《ゆめ》の残骸《ざんがい》のようなものを見に行くのが厭《いや》な気がし出したので、そろそろ日が暮れかけて来たのをいい口実に、まだ山径が これからなかなか大へんだからと言って、私たちはその途中から引っ返すことにした。――その帰り途《みち》、私はその代りに、まだ彼女が知らないというベルヴェデエルの丘《おか》*の方へ彼女を案内するため、いましがた登ってきたのとは異《ちが》った山径を選んでいるうちに、どう道を間《ま》違《ちが》えたのか、そのへんからもう下り道になってもよさそうな時分だのに、いつまでもそれが爪先《つまさ》き上りになっていて、私たちはその村の中心からはますます反対の方へ向いつつあるような気がしてきた。まだこの村にこんな私の知らない部分があることを心のうちでは驚《おどろ》きながら、しかし私はそのへんをいかにも知り抜《ぬ》いているように装《よそお》いながら、さっさと彼女を導いて行った。が、私たちはともすると無言になるのだった。……いつのまにやらもうすっかり日が暮れていた。私たちの歩いている道の両側の落葉松《からまつ》などが伸《の》び切って、すこし立て込《こ》んでいたりすると、私はほとんど彼女の着ているワンピイスの薔薇《ばら》色《いろ》さえ見さだめがたい位であった。ただときどき彼女の肩《かた》が私の肩にぶつかるので、自分の傍《そば》に彼女を近ぢかと感じながら歩いていた。そうかと思うと、木立の間からだしぬけにその奥《おく》にあるヴィラの灯《あか》りが下枝《したえ》ごしに私たちの肩に落ちて来て、知らず識《し》らずに身をすり寄せていた私たちを思わず離れさせた。――そんなヴィラの数がだんだん増え出して来たらしいことが、いくらか私たちをほっとさせていた。……

突然、私は心臓をしめつけられたように立ち止まった。私はそれらのヴィラに見覚えがあり出すのと同時に、これをこのまま行けば、私がこの日頃そこに近寄るのを努めて避《さ》けるようにしていた、私の昔《むかし》の女友達の別荘《べっそう》の前を通らなければならないことを認めたのだ。そして私は、その一家のものが二三日前からこの村に来ていることを宿の爺《じい》やから聞いて知っていたのだ。しかしもうさんざん彼女を引っ張りまわした挙《あげ》句《く》だったたし、私もかなり歩き疲《つか》れていたので、この上廻《まわ》り道をする気にはなれずに、私は心ならずもその別荘の前を通り抜けて行くことにした。……だんだんその別荘が近づいて来るにつれ、私はますます心臓をしめつけられるような息苦しさを覚えたが、さて、いよいよその別荘の真白《まっしろ》な柵《さく》が私たちの前に現われた瞬間《しゅんかん》には、その柵の中の灯りの一ぱいに落ちている芝生《しばふ》の向うに、すっかり開け放した窓枠《まどわく》の中から、私の見覚えのある古い円卓子《まるテエブル》の一部が見え、その上には、人々が食事から立ち去ってからまだ間もないと言ったように、丸められたナプキンだの、果物の皮の残っている皿《さら》だの、珈琲茶碗《コオヒイぢゃわん》だのが、まだ片づけられずに散らかったまま、まぶしいくらい洋燈《ランプ》の光りを浴びてきらきらと光っているのを、私は自分でも意外なくらいな冷静さをもって認めることが出来た。いい具合《ぐあい》に其処《そこ》には誰《だれ》も居合わさなかったせいか、それともまたそれは、その瞬間までに、私のなかの不安が、既にその絶頂を通り越《こ》してしまっていたせいであったろうか？　ともかくも、私はかなり平静に近い気持で、ただちょっと足を早めたきりで、その白い柵の前を通り過ぎることが出来た。……そんな私の心のなかの動揺《どうよう》には気づこう筈《はず》がなく、彼女は急に早足になった私のあとから、何んだか怪訝《けげん》そうについて来ながら、

「まだ、なかなか？」とすこし不安らしく私に声をかけた。

「うん……ますます見当がつかないんだ」

「そんなことばかし言って……」彼女はそんな私の本気とも冗談ともつかないような態度にとうとう腹を立てたように見える。そうしてそんな私を非難するような口吻《くちぶり》で、

「早く帰らない？」と言った。

「じゃ、一人でお帰りなさい」と私はいまはもう微笑《びしょう》らしいものさえ浮《うか》べながら返事をした。

「意地わる！」

「だって、ほら、其処知っているでしょう？」と私は、私たちの行く手の暗がりの中に小さなせせらぎが音立てているのを指しながら、「水車の道じゃないの？」と快活そうに言った。

「まあ、本当に……」と彼女はまだ何んだかそれが信じられないと言った風に自分の周囲を見廻わしていた。私たちはすでに、林のなかを抜け出して、昔、水車場のあった跡に佇《たた》ずんでいたのだった。――そこで道が二股《ふたまた》に分かれて、一方は「水車の道」、もう一方は「本通り」へと通じていた。どっちからでも、もうすぐ其処の宿屋へは帰れるのだが、水車の道の方からだと例のかなり嶮《けわ》しい坂道を下りなければならなかったので、私たちは本通りの方から帰ることにした。で、その後者の道をとって、その突《つ》きあたりから本通りの方へ曲ろうとした途端《とたん》に、私は、その本通りの入口の、ちょうど宿屋の前あたりから、ぽうっと薄明《うすあか》るくなりだしている圏《わ》の中に、五六人、一かたまりになった人影《ひとかげ》がこちらを向いて歩いてくるのを認めた。私はどきっとして立ち止まった。どうやらそれが私の昔の女友達どもらしく見えたからだ。……私は急に、私のそばにいる彼女の腕をとって、向うから苦手の人が来るらしいので捕《つか》まると面倒《めんどう》くさいからと早口に言訣《いいわけ》しながら、いま来たばかりの水車場の方へ引っ返していった。そうして再びさっきの小川の縁《ふち》に並《なら》んで立ちながら、その人達がそのまま本通りの方から来るか、それとも宿屋の裏の坂を抜けてくるか、どっちから来るだろうと、両方の道へ注意を配っていた。……そしてそっちにばかり注意を奪《うば》われていたので、私たちは、私たちの背後の、いましがた其処から私たちの出てきたばかりの林の中から、数人のものが懐中電気《かいちゅうでんき》を照らしながら、出てくるのには全然気がつかずにいた。突然《とつぜん》私たちはその懐中電気のまぶしい光りを浴びせられた。私たちはびっくりしてその小川の縁を離《はな》れた。……しかし懐中電気を手にしていた男の方でも、そんなところに思いがけず私たちが突っ立っていたのに、面喰《めんくら》ったらしかったが、その一人が私だと気がつくと、

「××君じゃない?」と私の名前をためらいがちに言った。そう言われて、私が一層驚いて、まぶしそうに顔をしかめながら振《ふ》り向いて見ると、それは私の学生時代からの友人であった。それと同時に、私はその友人の背後に、若い女たちが二三人、まだ不審《ふしん》そうに闇《やみ》を透《す》かしながらこちらを見つめているのに気がついた。それはその友人の若い妻君や妹たちであった。私は彼女たちにちょいと会釈《えしゃく》をして、それから気まり悪そうに微笑しながら、

「なあんだ、君たちか! ——何時《いつ》、こっちへ来たの?」

「昨日来た。さっき君んところへ寄ったら留守だと言うんで、それから細木さんのところへ行って見たんだ。あそこの家もみんな出払《ではら》っているんだ……」

私はその友人の言葉を聞き終えるか終えないうちに、本通りの方の曲り角から一かたまりの人影がこっちへ曲って来だしたのを認めた。

「じゃあ、構わないから、僕《ぼく》んところへ寄って行けよ」

そう言い棄てて、私はさっさと一人で水車の道の方へ歩き出した。そうして私は二三のヴィラの前を通り過ぎてから、その先きの、真っ暗だけれど、私には勝手の知れた、草ぶかい坂道をずんずん一人先きに降りていった。やがて他《ほか》の連中も、そんな私の後から一塊《ひとかたま》りになって、一箇《こ》の懐中電気を頼《たよ》りにしながら、きゃっきゃっと言って降りて来た。……

「まあ、こんな道あるの、私、ちっとも知らなかったわ」

坂の中途で、友人の若い妻君がそんなことを誰にともなく言ったらしいのが、もうその時はその小さな坂を降り切ってしまっていた私のところまで、手にとるように聞えて来た。私は丁度、その友人の妻君も確か数年前にその坂道で私の出会った少女たちの中に雑《まじ》っていたことを思い出すともなく思い出していたところだった。——その出会いは私にはあんなにも印象深いのに、嘗《か》ってのその少女たちの一人であった彼女《かのじょ》の方では、（恐《おそ》らく他の少女たちも同様に）そんな私との出会いのことなどは少しも気に留めていないで、すっかり忘れてしまっているのかなあと思った。が、一方ではまた何んだか、そんなことを言って彼女が私をからかっているのじゃないかしら、とそんな気もされた。ひょいと彼女の口を衝《つ》いて出たらしいそんな言葉を私はひとりで気にしながら、いつまでもそっぽを向いて皆の降りてくるのを待っていると、突然、そのうちの誰かが足を滑《すべ》らして、「あっ！」と小さく叫《さけ》んで、坂の中途にどさりと倒《たお》れたらしい気配がした。見上げると、その坂の中途にまだ転《ころ》がっているらしいものが、まるで花ざかりの灌木《かんぼく》のように見えた。そして他のものがみんな立ち止まって、その一番最後に降りてきた少女の方をふり返っているのを、私はただぽかんとして眺《なが》めながら、その場を一歩も動こうとしないで突っ立っていた。そうして私は毎朝のようにこの坂を昇《のぼ》り降りしているあの跛《ちんば》の花売りのことをひょっくり思い浮べ、あいつはまた何だってこんなあぶなっかしい坂道をわざわざ選んで通るのだろうかしらと、全然いまの場合とは何んの関係もないようなことを考え出していた。……

風立ちぬ

Le vent se lève, il faut tenter de vivre. *

PAUL VALÉRY *

序曲

それらの夏の日々、一面に薄《すすき》の生《お》い茂《しげ》った草原の中で、お前が立ったまま熱心に絵を描いていると、私はいつもその傍《かたわ》らの一本の白樺《しらかば》の木蔭《こかげ》に身を横たえていたものだった。そうして夕方になって、お前が仕事をすませて私のそばに来ると、それからしばらく私達は肩《かた》に手をかけ合ったまま、遥《はる》か彼方《かなた》の、縁だけ茜色《あかねいろ》を帯びた入道雲のむくむくした塊りに覆《おお》われている地平線の方を眺めやっていたものだった。ようやく暮《く》れようとしかけているその地平線から、反対に何物かが生れて来つつあるかのように……

そんな日の或《あ》る午後、(それはもう秋近い日だった) 私達はお前の描きかけの絵を画架《がか》に立てかけたまま、その白樺の木蔭に寝そべって果物を齧《かじ》っていた。砂のような雲が空をさらさらと流れていた。そのとき不意に、何処《どこ》からともなく風が立った。私達の頭の上では、木の葉の間からちらっと覗《のぞ》いている藍色《あいいろ》が伸《の》びたり縮《ちぢ》んだりした。それと殆《ほと》んど同時に、草むらの中に何かがばったりと倒れる物音を私達は耳にした。

それは私達がそこに置きっぱなしにしてあった絵が、画架と共に、倒れた音らしかった。すぐ立ち上って行こうとするお前を、私は、いまの一瞬の何物をも失うまいとするかのように無理に引き留めて、私のそばから離さないでいた。お前は私のするがままにさせていた。

風立ちぬ、いざ生きめやも。

ふと口を衝《つ》いて出て来たそんな詩句を、私は私に靠《もた》れているお前の肩に手をかけながら、口の裡《うち》で繰《く》り返していた。それからやっとお前は私を振《ふ》りほどいて立ち上って行った。まだよく乾《かわ》いてはいなかったカンバスは、その間に、一めんに草の葉をこびつかせてしまっていた。それを再び画架に立て直し、パレット・ナイフでそんな草の葉を除《と》りにくそうにしながら、

「まあ！　こんなところを、もしお父様にでも見つかったら……」

お前は私の方をふり向いて、なんだか曖昧《あいまい》な微笑《びしょう》をした。

「もう二三日したらお父様がいらっしゃるわ」

或る朝のこと、私達が森の中をさまよっているとき、突然お前がそう言い出した。

私はなんだか不満そうに黙《だま》っていた。するとお前は、そういう私の方を見ながら、すこし嗄《しゃが》れたような声で再び口をきいた。

「そうしたらもう、こんな散歩も出来なくなるわね」

「どんな散歩だって、しようと思えば出来るさ」

私はまだ不満らしく、お前のいくぶん気づかわしそうな視線を自分の上に感じながら、しかしそれよりももっと、私達の頭上の梢《こずえ》が何んとはなしにざわめいているのに気を奪《と》られているような様子をしていた。

「お父様がなかなか私を離して下さらないわ」

私はとうとう焦《じ》れったいとでも云《い》うような目つきで、お前の方を見返した。

「じゃあ、僕達はもうこれでお別れだと云うのかい？」

「だって仕方がないじゃないの」

そう言ってお前はいかにも諦《あきら》め切ったように、私につとめて微笑《ほほえ》んで見せようとした。ああ、そのときのお前の顔色の、そしてその脣《くちびる》の色までも、何んと蒼《あお》ざめていたことったら！

「どうしてこんなに変っちゃったんだろうなあ。あんなに私に何もかも任せ切っていたように見えたのに……」と私は考えあぐねたような恰好《かっこう》で、だんだん裸根のごろごろし出して来た狭《せま》い山径《やまみち》を、お前をすこし先きにやりながら、いかにも歩きにくそうに歩いて行った。そこいらはもうだいぶ木立が深いと見え、空気はひえびえとしていた。ところどころに小さな沢《さわ》が食いこんだりしていた。突然、私の頭の中にこんな考えが閃《ひらめ》いた。お前はこの夏、偶然出逢《ぐうぜんであ》った私のような者にもあんなに従順だったように、いや、もっともっと、お前の父や、それからまたそういう父をも数に入れたお前のすべてを絶えず支配しているものに、素直《すなお》に身を任せ切っているのではないだろうか？　……「節子！　そういうお前であるのなら、私はお前がもっともっと好きになるだろう。私がもっとしっかりと生活の見透《みとお》しがつくようになったら、どうしたってお前を貰《もら》いに行くから、それまではお父さんの許《もと》に今のままのお前でいるがいい……」そんなことを私は自分自身にだけ言い聞かせながら、しかしお前の同意を求めでもするかのように、いきなりお前の手をとった。お前はその手を私にとられるがままにさせていた。それから私達はそうして手を組んだまま、一つの沢の前に立ち止まりながら、押《お》し黙って、私達の足許に深く食いこんでいる小さな沢のずっと底の、下《した》生《ばえ》の羊歯《しだ》などの上まで、日の光が数知れず枝《えだ》をさしかわしている低い灌木《かんぼく》の隙間《すきま》をようやくのことで潜《くぐ》り抜《ぬ》けながら、斑《まだ》らに落ちていて、そんな木洩《こも》れ日《び》がそこまで届くうちに殆んどあるかないか位になっている微風にちらちらと揺《ゆ》れ動いているのを、何か切ないような気持で見つめていた。

それから二三日した或る夕方、私は食堂で、お前がお前を迎《むか》えに来た父と食事を共にしているのを見出《みいだ》した。お前は私の方にぎごちなさそうに背中を向けていた。父の側にいることがお前に殆んど無意識的に取らせているにちがいない様子や動作は、私にはお前をついぞ見かけたこともないような若い娘《むすめ》のように感じさせた。

「たとい私がその名を呼んだにしたって……」と私は一人でつぶやいた。「あいつは平気でこっちを見向きもしないだろう。まるでもう私の呼んだものではないかのように……」

その晩、私は一人でつまらなそうに出かけて行った散歩からかえって来てからも、しばらくホテルの人けのない庭の中をぶらぶらしていた。山百合《やまゆり》が匂《にお》っていた。私はホテルの窓がまだ二つ三つあかりを洩らしているのをぼんやりと見つめていた。そのうちすこし霧がかかって来たようだった。それを恐れでもするかのように、窓のあかりは一つびとつ消えて行った。そしてとうとうホテル中がすっかり真っ暗になったかと思うと、軽いきしりがして、ゆるやかに一つの窓が開いた。そして薔薇色《ばらいろ》の寝衣《ねまき》らしいものを着た、一人の若い娘が、窓の縁にじっと凭《よ》りかかり出した。それはお前だった。……

お前達が発《た》って行ったのち、日ごと日ごとずっと私の胸をしめつけていた、あの悲しみに似たような幸福の雰囲気《ふんいき》を、私はいまだにはっきりと蘇《よみがえ》らせることが出来る。私は終日、ホテルに閉《と》じ籠《こも》っていた。そうして長い間お前のために打棄《うっちゃ》って置いた自分の仕事に取りかかり出した。私は自分にも思いがけない位、静かにその仕事に没《ぼっ》頭《とう》することが出来た。そのうちにすべてが他の季節に移って行った。そしていよいよ私も出発しようとする前日、私はひさしぶりでホテルから散歩に出かけて行った。

秋は林の中を見ちがえるばかりに乱雑にしていた。葉のだいぶ少くなった木々は、その間から、人けの絶えた別荘《べっそう》のテラスをずっと前方にのり出させていた。菌類《きんるい》の湿《しめ》っぽい匂いが落葉の匂いに入りまじっていた。そういう思いがけない位の季節の推移が、――お前と別れてから私の知らぬ間にこんなにも立ってしまった時間というものが、私には異様に感じられた。私の心の裡《うち》の何処《どこ》かしらに、お前から引き離《はな》されているのはただ一時的だと云った確信のようなものがあって、そのためこうした時間の推移までが、私には今までとは全然異《ちが》った意味を持つようになり出したのであろうか？

……そんなようなことを、私はすぐあとではっきりと確かめるまで、何やらぼんやりと感じ出していた。

私はそれから十数分後、一つの林の尽《つ》きたところ、そこから急に打ちひらけて、遠い地平線までも一帯に眺《なが》められる、一面に薄《すすき》の生い茂った草原の中に、足を踏《ふ》み入れていた。そして私はその傍《かたわ》らの、既《すで》に葉の黄いろくなりかけた一本の白樺《しらかば》の木蔭《こかげ》に身を横たえた。其処《そこ》は、その夏の日々、お前が絵を描いているのを眺めながら、私がいつも今のように身を横たえていたところだった。あの時には殆んどいつも入道雲に遮《さえぎ》られていた地平線のあたりには、今は、何処か知らない、遠くの山脈までが、真っ白な穂先《ほさき》をなびかせた薄の上を分けながら、その輪廓《りんかく》を一つ一つくっきりと見せていた。

私はそれらの遠い山脈の姿をみんな暗記してしまう位、じっと目に力を入れて見入っているうちに、いままで自分の裡に潜《ひそ》んでいた、自然が自分のために極めて置いてくれたものを今こそ漸《や》っと見出したと云う確信を、だんだんはっきりと自分の意識に上らせはじめていた。……

春

三月になった。或る午後、私がいつものようにぶらっと散歩のついでにちょっと立寄ったとでも云った風に節子の家を訪《おとず》れると、門をはいったすぐ横の植込みの中に、労働者のかぶるような大きな麦稈帽《むぎわらぼう》をかぶった父が、片手に鋏《はさみ》をもちながら、そこいらの木の手入れをしていた。私はそういう姿を認めると、まるで子供のように木の枝を掻《か》き分けながら、その傍《そば》に近づいていって、二言《ふたこと》三言《みこと》挨拶《あいさつ》の言葉を交《か》わしたのち、そのまま父のすることを物珍《ものめず》らしそうに見ていた。――そうやって植込みの中にすっぽりと身を入れていると、あちらこちらの小さな枝の上にときどき何かしら白いものが光ったりした。それはみんな蕾《つぼみ》らしかった。……

「あれもこの頃《ごろ》はだいぶ元気になって来たようだが」父は突然《とつぜん》そんな私の方へ顔をもち上げてその頃私と婚約《こんやく》したばかりの節子のことを言い出した。

「もう少し好《い》い陽気になったら、転地でもさせてみたらどうだろうね？」

「それはいいでしょうけれど……」と私は口ごもりながら、さっきから目の前にきらきら光っている一つの蕾がなんだか気になってならないと云った風をしていた。

「何処ぞいいところはないかとこの間うちから物色しとるのだがね——」と父はそんな私には構わずに言いつづけた。「節子はFのサナトリウム*なんぞどうか知らんと言うのじゃが、あなたはあそこの院長さんを知っておいでだそうだね？」

「ええ」と私はすこし上《うわ》の空でのように返事をしながら、やっとさっき見つけた白い蕾《つぼみ》を手もとにたぐりよせた。

「だが、あそこなんぞは、あれ一人で行って居られるだろうか？」

「みんな一人で行っているようですよ」

「だが、あれにはなかなか行って居られまいね？」

　父はなんだか困ったような顔つきをしたまま、しかし私の方を見ずに、自分の目の前にある木の枝の一つへいきなり鋏を入れた。それを見ると、私はとうとう我慢《がまん》がしきれなくなって、それを私が言い出すのを父が待っているとしか思われない言葉を、ついと口に出した。

「なんでしたら僕《ぼく》も一緒《いっしょ》に行ってもいいんです。いま、しかけている仕事の方も、丁度それまでには片がつきそうですから……」

　私はそう言いながら、やっと手の中に入れたばかりの蕾のついた枝を再びそっと手離した。それと同時に父の顔が急に明るくなったのを私は認めた。

「そうしていただけたら、一番いいのだが、――しかしあなたにはえろう済まんな……」

「いいえ、僕なんぞにはかえってそう云った山の中の方が仕事ができるかも知れません……」

それから私達はそのサナトリウムのある山岳《さんがく》地方のことなど話し合っていた。が、いつのまにか私達の会話は、父のいま手入れをしている植木の上に落ちていった。二人のいまお互《たがい》に感じ合っている一種の同情のようなものが、そんなとりとめのない話をまで活気づけるように見えた。……

「節子さんはお起きになっているのかしら？」しばらくしてから私は何気《なにげ》なさそうに訊《き》いてみた。

「さあ、起きとるでしょう。……どうぞ、構わんから、其処《そこ》からあちらへ……」と父は鋏をもった手で、庭木戸の方を示した。私はやっと植込みの中を潜《くぐ》り抜けると、蔦《つた》がからみついて少し開きにくい位になったその木戸をこじあけて、そのまま庭から、この間まではアトリエに使われていた、離れのようになった病室の方へ近づいていった。

節子は、私の来ていることはもうとうに知っていたらしいが、私がそんな庭からはいって来ようとは思わなかったらしく、寝間着の上に明るい色の羽織をひっかけたまま、長椅子《ながいす》の上に横になりながら、細いリボンのついた、見かけたことのない婦人帽を手でおもちゃにしていた。

私がフレンチ扉《ドア》＊ごしにそういう彼女《かのじょ》を目に入れながら近づいて行くと、彼女の方でも私を認めたらしかった。彼女は無意識に立ち上ろうとするような身動きをした。が、彼女はそのまま横になり、顔を私の方へ向けたまま、すこし気まり悪そうな微笑で私を見つめた。

「起きていたの？」私は扉のところで、いくぶん乱暴に靴《くつ》を脱《ぬ》ぎながら、声をかけた。

「ちょっと起きてみたんだけれど、すぐ疲《つか》れちゃったわ」

そう言いながら、彼女はいかにも疲れを帯びたような、力なげな手つきで、ただ何んということもなしに手で弄《もてあそ》んでいたらしいその帽子《ぼうし》を、すぐ脇《わき》にある鏡台の上へ無造作《ぞうさ》にほうり投げた。が、それはそこまで届かないで床《ゆか》の上に落ちた。私はそれに近寄って、殆《ほとん》ど私の顔が彼女の足のさきにくっつきそうになるように屈《かが》み込《こ》んで、その帽子を拾い上げると、今度は自分の手で、さっき彼女がそうしていたように、それをおもちゃにし出していた。

それから私はやっと訊いた。「こんな帽子なんぞ取り出して、何をしていたんだい？」

「そんなもの、いつになったら被《かぶ》れるようになるんだか知れやしないのに、お父様ったら、きのう買っておいでになったのよ。……おかしなお父様でしょう？」

「これ、お父様のお見立てなの？　本当に好いお父様じゃないか。……どおれ、この帽子、ちょっとかぶって御覧《ごらん》」と私が彼女の頭にそれを冗談《じょうだん》半分かぶせるような真似《まね》をしかけると、

「厭《いや》、そんなこと……」

彼女はそう言って、うるさそうに、それを避《さ》けでもするように、半ば身を起した。そうして言い訣《わけ》のように弱々しい微笑《びしょう》をして見せながら、ふいと思い出したように、いくぶん痩《や》せの目立つ手で、すこし縺《もつ》れた髪《かみ》を直しはじめた。その何気なしにしている、それでいていかにも自然に若い女らしい手つきは、それがまるで私を愛撫《あいぶ》でもし出したかのような、呼吸《いき》づまるほどセンシュアル*な魅力《みりょく》を私に感じさせた。そうしてそれは、思わずそれから私が目をそらさずにはいられないほどだった……

やがて私はそれまで手で弄んでいた彼女の帽子を、そっと脇の鏡台の上に載《の》せると、ふいと何か考え出したように黙《だま》りこんで、なおもそういう彼女からは目をそらせつづけていた。

「おおこりになったの？」と彼女は突然私を見上げながら、気づかわしそうに問うた。

「そうじゃないんだ」と私はやっと彼女の方へ目をやりながら、それから話の続きでもなんでもなしに、出し抜けにこう言い出した。「さっきお父様がそう言っていらしったが、お前、ほんとうにサナトリウムに行く気かい？」

「ええ、こうしていても、いつ良くなるのだか分らないのですもの。早く良くなれるんなら、何処《どこ》へでも行っているわ。でも……」

「どうしたのさ？　なんて言うつもりだったんだい？」

「なんでもないの」

「なんでもなくってもいいから言って御覧。……どうしても言わないね、じゃ僕が言ってやろうか？　お前、僕にも一緒に行けというのだろう？」

「そんなことじゃないわ」と彼女は急に私を遮《さえぎ》ろうとした。

しかし私はそれには構わずに、最初の調子とは異《ちが》って、だんだん真面目《まじめ》になりだした、いくぶん不安そうな調子で言いつづけた。「……いや、お前が来なくともいいと言ったって、そりあ僕は一緒に行くとも。だがね、ちょっとこんな気がして、それが気がかりなのだ。……僕はこうしてお前と一緒にならない前から、何処かの淋《さび》しい山の中へ、お前みたいな可哀《かわい》らしい娘《むすめ》と二人きりの生活をしに行くことを夢《ゆめ》みていたことがあったのだ。お前にもずっと前にそんな私の夢を打ち明けやしなかったかしら？　ほら、あの山小屋の話さ、そんな山の中に私達は住めるのかしらと云《い》って、あのときはお前は無邪気《むじゃき》そうに笑っていたろう？　……実はね、こんどお前がサナトリウムへ行くと言い出しているのも、そんなことが知らず識《し》らずの裡《うち》にお前の心を動かしているのじゃないかと思ったのだ。……そうじゃないのかい？」

彼女はつとめて微笑《ほほえ》みながら、黙ってそれを聞いていたが、

「そんなこともう覚えてなんかいないわ」と彼女はきっぱりと言った。それから寧《むし》ろ私の方をいたわるような目つきでしげしげと見ながら、「あなたはときどき飛んでもないことを考え出すのね……」

それから数分後、私達は、まるで私達の間には何事もなかったような顔つきをして、フレンチ扉《ドア》の向うに、芝生《しばふ》がもう大ぶ青くなって、あちらにもこちらにも陽炎《かげろう》らしいものの立っているのを、一緒になって珍らしそうに眺め出していた。

＊
＊＊

四月になってから、節子の病気はいくらかずつ恢復期《かいふくき》に近づき出しているように見えた。そしてそれがいかにも遅々《ちち》としていればいるほど、その恢復へのもどかしいよ

うな一歩一歩は、かえって何か確実なもののように思われ、私達には云い知れず頼《たの》もしくさえあった。

そんな或《あ》る日の午後のこと、私が行くと、丁度父は外出していて、節子は一人で病室にいた。その日は大へん気分もよさそうで、いつも殆ど着たきりの寝間着を、めずらしく青いブラウスに着換《きか》えていた。私はそういう姿を見ると、どうしても彼女を庭へ引っぱり出そうとした。すこしばかり風が吹いていたが、それすら気持のいいくらい軟《やわ》らかだった。彼女はちょっと自信なさそうに笑いながら、それでも私にやっと同意した。そうして私の肩《かた》に手をかけて、フレンチ扉《ドア》から、何んだか危かしそうな足つきをしながら、おずおずと芝生の上へ出て行った。生墻《いけがき》に沿うて、いろんな外国種のも混《ま》じって、どれがどれだか見分けられないくらいに枝と枝を交わしながら、ごちゃごちゃに茂《しげ》っている植込みの方へ近づいてゆくと、それらの茂みの上には、あちらにもこちらにも白や黄や淡紫《うすむらさき》の小さな蕾《つぼみ》がもう今にも咲《さ》き出しそうになっていた。私はそんな茂みの一つの前に立ち止まると、去年の秋だったか、それがそうだと彼女に教えられたのをひょっくり思い出して、

「これはライラックだったね？」と彼女の方をふり向きながら、半ば訊《き》くように言った。

「それがどうもライラックじゃないかも知れないわ」と私の肩に軽く手をかけたまま、彼女はすこし気の毒そうに答えた。

「ふん……じゃ、いままで嘘《うそ》を教えていたんだね？」

「嘘なんか衝《つ》きやしないけれど、そういって人から頂戴《ちょうだい》したの。……だけど、あんまり好《い》い花じゃないんですもの」

「なあんだ、もういまにも花が咲きそうになってから、そんなことを白状するなんて！　じゃあ、どうせあいつも……」

私はその隣《とな》りにある茂みの方を指さしながら、「あいつは何んていったっけなあ？」

「金雀児《えにしだ》？」と彼女はそれを引き取った。私達は今度はそっちの茂みの前に移っていった。

「この金雀児《えにしだ》は本物よ。ほら、黄いろいのと白いのと、蕾《つぼみ》が二種類あるでしょう？　こっちの白いの、それあ珍らしいのですって……お父様の御自慢《ごじまん》よ……」

そんな他愛のないことを言い合いながら、その間じゅう節子は私の肩から手をはずさずに、しかし疲れたというよりも、うっとりとしたようになって、私に靠《もた》れかかっていた。それから私達はしばらくそのまま黙り合っていた。そうすることがこういう花咲き匂《にお》うような人生をそのまま少しでも引き留めて置くことが出来でもするかのように。ときおり軟らかな風が向うの生墻《いけがき》の間から抑《おさ》えつけられていた呼吸かなんぞのように押《お》し出されて、私達の前にしている茂みにまで達し、その葉を僅《わず》かに持ち上げながら、それから其処《そこ》にそういう私達だけをそっくり完全に残したまんま通り過ぎていった。

突然、彼女が私の肩にかけていた自分の手の中にその顔を埋めた。私は彼女の心臓がいつもよりか高く打っているのに気がついた。

「疲れたの？」私はやさしく彼女に訊いた。

「いいえ」と彼女は小声に答えたが、私はますます私の肩に彼女のゆるやかな重みのかかって来るのを感じた。

「私がこんなに弱くって、あなたに何んだかお気の毒で……」彼女はそう囁《ささや》いたのを、私は聞いたというよりも、むしろそんな気がした位のものだった。

「お前のそういう脆弱《ひよわ》なのが、そうでないより私にはもっとお前をいとしいものにさせているのだと云うことが、どうして分らないのだろうなあ……」と私はもどかしそうに心のうちで彼女に呼びかけながら、しかし表面はわざと何んにも聞きとれなかったような様子をしながら、そのままじっと身動きもしないでいると、彼女は急に私か

らそれを反《そ》らせるようにして顔をもたげ、だんだん私の肩から手さえも離《はな》して行きながら、

「どうして、私、この頃《ごろ》こんなに気が弱くなったのかしら？　こないだうちは、どんなに病気のひどいときだって何んとも思わなかった癖《くせ》に……」と、ごく低い声で、独《ひと》り言《ごと》でも言うように口ごもった。沈黙《ちんもく》がそんな言葉を気づかわしげに引きのばしていた。そのうち彼女が急に顔を上げて、私をじっと見つめたかと思うと、それを再び伏《ふ》せながら、いくらか上《うわ》ずったような中音で言った。「私、なんだか急に生きたくなったのね……」

それから彼女は聞えるか聞えない位の小声で言い足した。「あなたのお蔭《かげ》で……」

＊＊＊

それは、私達がはじめて出会《であ》ったもう二年前にもなる夏の頃、不意に私の口を衝《つ》いて出た、そしてそれから私が何んということもなしに口ずさむことを好んでいた、

風立ちぬ、いざ生きめやも。

という詩句が、それきりずっと忘れていたのに、又ひょっくりと私達に蘇《よみがえ》ってきたほどの、――云わば人生に先立った、人生そのものよりかもっと生き生きと、もっと切ないまでに愉《たの》しい日々であった。

私達はその月末に八ヶ岳《やつがたけ》山麓《さんろく》のサナトリウムに行くための準備をし出していた。私は、一寸《ちょっと》した識合《しりあ》いになっている、そのサナトリウムの院長がときどき上京する機会を捉《とら》えて、其処へ出かけるまでに一度節子の病状を診《み》て貰《もら》うことにした。

或る日、やっとのことで郊外《こうがい》にある節子の家までその院長に来て貰って、最初の診《しん》察《さつ》を受けた後、「なあに大したことはないでしょう。まあ、一二年山へ来て辛抱《しんぼう》なさるんですなあ」と病人達に言い残して忙《いそが》しそうに帰ってゆく院長を、私は駅まで見送って行った。私は彼から自分にだけでも、もっと正確な彼女の病態を聞かしておいて貰いたかったのだった。

「しかし、こんなことは病人には言わぬようにしたまえ。父親《ファタア》にはそのうち僕からもよく話そうと思うがね」院長はそんな前置きをしながら、少し気むずかしい顔つきをして節子の容態をかなり細かに私に説明してくれた。それからそれを黙って聞いていた私の方をじっと見て、「君もひどく顔色が悪いじゃないか。ついでに君の身体《からだ》も診ておいてやるんだったな」と私を気の毒がるように言った。

駅から私が帰って、再び病室にはいってゆくと、父はそのまま寝ている病人の傍《そば》に居残って、サナトリウムへ出かける日取などの打ち合わせを彼女とし出していた。なんだか浮《う》かない顔をしたまま、私もその相談に加わり出した。「だが……」父はやがて何か用事でも思いついたように、立ち上がりながら、「もうこの位に良くなっているのだから、夏中だけでも行っていたら、よかりそうなものだがね」といかにも不審《ふしん》そうに言って、病室を出ていった。

二人きりになると、私達はどちらからともなくふっと黙り合った。それはいかにも春らしい夕暮《ゆうぐれ》であった。私はさっきからなんだか頭痛がしだしているような気がしていたが、それがだんだん苦しくなってきたので、そっと目立たぬように立ち上がると、硝子扉《ガラスドア》の方に近づいて、その一方の扉を半ば開け放ちながら、それに靠《もた》れかかった。そうしてしばらくそのまま私は、自分が何を考えているのかも分からない位にぼんやりして、一面にうっすらと靄《もや》の立ちこめている向うの植込みのあたりへ「いい匂がするなあ、何んの花のにおいだろう――」と思いながら、空虚《うつろ》な目をやっていた。

「何をしていらっしゃるの？」

私の背後で、病人のすこし嗄《しゃが》れた声がした。それが不意に私をそんな一種の麻痺《まひ》したような状態から覚醒《かくせい》させた。私は彼女の方には背中を向けたまま、いかにも何か他《ほか》

のことでも考えていたような、取ってつけたような調子で、

「お前のことだの、山のことだの、それからそこで僕達の暮らそうとしている生活のことだのを、考えているのさ……」と途《と》切《ぎ》れ途切れに言い出した。が、そんなことを言い続けているうちに、私はなんだか本当にそんな事を今しがたまで考えていたような気がしてきた。そうだ、それから私はこんなことも考えていたようだ――。「向うへいったら、本当にいろいろな事が起るだろうなあ。……しかし人生というものは、お前がいつもそうしているように、何もかもそれに任せ切って置いた方がいいのだ。……そうすればきっと、私達がそれを希《ねが》おうなどとは思いも及《およ》ばなかったようなものまで、私達に与《あた》えられるかも知れないのだ。……」そんなことまで心の裡《うち》で考えながら、それには少しも自分では気がつかずに、私はかえって何んでもないように見える些《さ》細《さい》な印象の方にすっかり気をとられていたのだ。……

そんな庭面《にわも》はまだほの明るかったが、気がついて見ると、部屋のなかはもうすっかり薄暗《うすぐら》くなっていた。

「明りをつけようか？」私は急に気をとりなおしながら言った。

「まだつけないでおいて頂戴……」そう答えた彼女の声は前よりも嗄《しゃが》れていた。

しばらく私達は言葉もなくていた。

「私、すこし息ぐるしいの、草のにおいが強くて……」

「じゃ、ここも締《し》めて置こうね」

私は、殆《ほとん》ど悲しげな調子でそう応じながら、扉の握《にぎ》りに手をかけて、それを引きかけた。

「あなた……」彼女の声は今度は殆ど中性的なくらいに聞えた。「いま、泣いていらしったんでしょう？」

私はびっくりした様子で、急に彼女の方をふり向いた。

「泣いてなんかいるものか。……僕《ぼく》を見て御覧《ごらん》」

彼女は寝台の中から私の方へその顔を向けようともしなかった。もう薄暗くってそれとは定かに認めがたい位だが、彼女は何かをじっと見つめているらしい。しかし私がそれを気づかわしそうに自分の目で追って見ると、ただ空《くう》を見つめているきりだった。

「わかっているの、私にも……さっき院長さんに何か言われていらしったのが……」

私はすぐ何か答えたかったが、何んの言葉も私の口からは出て来なかった。私はただ音を立てないようにそっと扉を締めながら再び、夕暮れかけた庭面を見入り出した。

やがて私は、私の背後に深い溜息《ためいき》のようなものを聞いた。

「御免《ごめん》なさい」彼女はとうとう口をきいた。その声はまだ少し顫《ふる》えを帯びていたが、前よりもずっと落着いていた。「こんなこと気になさらないでね……。私達、これから本当に生きられるだけ生きましょうね……」

私はふりむきながら、彼女がそっと目がしらに指先をあてて、そこにそれをじっと置いているのを認めた。

＊＊＊

四月下旬《げじゅん》の或る薄曇った朝、停車場まで父に見送られて、私達はあたかも蜜月《みつげつ》の旅へでも出かけるように、父の前はさも愉《たの》しそうに、山岳《さんがく》地方へ向う汽車の二等室に乗り込んだ。汽車は徐《しず》かにプラットフォームを離れ出した。その跡《あと》に、つとめて何気《なにげ》なさそうにしながら、ただ背中だけ少し前屈《まえかが》みにして、急に年とったような様子をして立っている父だけを一人残して。――

すっかりプラットフォームを離れると、私達は窓を締めて、急に淋しくなったような顔つきをして、空いている二等室の一隅に腰《こし》を下ろした。そうやってお互《たがい》の心と心を温め合おうとでもするように、膝《ひざ》と膝とをぴったりとくっつけながら……

風立ちぬ

私達の乗った汽車が、何度となく山を攀《よ》じのぼったり、深い渓谷《けいこく》に沿って走ったり、又《また》それから急に打ち展《ひら》けた葡萄《ぶどう》畑の多い台地を長いことかかって横切ったりしたのち、漸《や》っと山岳地帯へと果てしのないような、執拗《しつよう》な登攀《とうはん》をつづけ出した頃《ころ》には、空は一層低くなり、いままではただ一面に鎖《と》ざしているように見えた真っ黒な雲が、いつの間にか離れ離れになって動き出し、それらが私達の目の上にまで圧《お》しかぶさるようであった。空気もなんだか底冷えがしだした。上衣《うわぎ》の襟《えり》を立てた私は、肩掛《かたかけ》にすっかり体を埋《うず》めるようにして目をつぶっている節子の、疲《つか》れたと云《い》うよりも、すこし興奮しているらしい顔を不安そうに見守っていた。彼女《かのじょ》はときどきぼんやりと目をひらいて私の方を見た。はじめのうちは二人はその度毎《たびごと》に目と目で微笑《ほほえ》みあったが、しまいにはただ不安そうに互を見合ったきり、すぐ二人とも目をそらせた。そうして彼女はまた目を閉《と》じた。

「なんだか冷えてきたね。雪でも降るのかな」

「こんな四月になっても雪なんか降るの？」

「うん、この辺は降らないともかぎらないのだ」

まだ三時頃だというのにもうすっかり薄暗くなった窓の外へ目を注いだ。ところどころに真っ黒な樅《もみ》をまじえながら、葉のない落葉松《からまつ》が無数に並《なら》び出しているのに、すでに私達は八ヶ岳の裾《すそ》を通っていることに気がついたが、まのあたりに見える筈《はず》の山らしいものは影《かげ》も形も見えなかった。……

汽車は、いかにも山麓《さんろく》らしい、物置小屋と大してかわらない小さな駅に停車した。駅には、高原療養所《りょうようじょ》の印《しるし》のついた法被《はっぴ》を着た、年とった、小使が一人《ひとり》、私達を迎《むか》えに来ていた。

駅の前に待たせてあった、古い、小さな自動車のところまで、私は節子を腕《うで》で支えるようにして行った。私の腕の中で、彼女がすこしよろめくようになったのを感じたが、私はそれには気づかないようなふりをした。

「疲れたろうね？」

「そんなでもないわ」

私達と一緒《いっしょ》に下りた数人の土地の者らしい人々が、そういう私達のまわりで何やら囁《ささや》き合っていたようだったが、私達が自動車に乗り込《こ》んでいるうちに、いつのまにかその人々は他《ほか》の村人たちに混《まじ》って見分けにくくなりながら、村のなかに消えていた。

私達の自動車が、みすぼらしい小家の一列に続いている村を通り抜《ぬ》けた後、それが見えない八ヶ岳の尾根《おね》までそのまま果てしなく拡《ひろ》がっているかと思える凸凹《でこぼこ》の多い傾《けい》斜地《しゃち》へさしかかったと思うと、背後に雑木林《ぞうきばやし》を背負いながら、赤い屋根をした、いくつも側翼のある、大きな建物が、行く手に見え出した。

「あれだな」と、私は車台の傾《かたむ》きを身体《からだ》に感じ出しながら、つぶやいた。

節子はちょっと顔を上げ、いくぶん心配そうな目つきで、それをぼんやりと見ただけだった。

サナトリウムに着くと、私達は、その一番奥《おく》の方の、裏がすぐ雑木林になっている、病棟《びょうとう》の二階の第一号室に入れられた。簡単な診察《しんさつ》後、節子はすぐベッドに寝ているように命じられた。リノリウムで床《ゆか》を張った病室には、すべて真っ白に塗《ぬ》られたベッドと卓《たく》と椅子《いす》と、――それからその他《ほか》には、いましがた小使が届けてくれたばかりの数《すう》箇《こ》のトランクがあるきりだった。二人きりになると、私はしばらく落着かずに、附添《つきそい》人《にん》のために宛《あ》てられた狭苦《せまくる》しい側室にはいろうともしないで、そんなむき出しな感じのする室内をぼんやりと見廻《みまわ》したり、又、何度も窓に近づいては、空模様ばかり気にしていた。風が真っ黒な雲を重たそうに引きずっていた。そしてときおり裏の雑木林から鋭い音を挽いだりした。私は一度寒そうな恰好をしてバルコンに出て行った。バルコンは何んの仕切もなしにずっと向うの病室まで続いていた。その上には全く人けが絶えていたので、私は構わずに歩き出しながら、病室を一つ一つ覗《のぞ》いて行って見ると、丁度四番目の病室のなかに、一人の患者《かんじゃ》の寝ているのが半開きになった窓から見えたので、私はいそいでそのまま引っ返して来た。

やっとランプが点《つ》いた。それから私達は看護婦の運んで来てくれた食事に向い合った。それは私達が二人きりで最初に共にする食事にしては、すこし侘《わ》びしかった。食事中、外がもう真っ暗なので何も気がつかずに、唯《ただ》何んだかあたりが急に静かになったなと思っていたら、いつのまにか雪になり出したらしかった。

私は立ち上って、半開きにしてあった窓をもう少し細目にしながら、その硝子《ガラス》に顔をくっつけて、それが私の息で曇りだしたほど、じっと雪のふるのを見つめていた。それからやっと其処《そこ》を離《はな》れながら、節子の方を振《ふ》り向いて、「ねえ、お前、何んだってこんな……」と言い出しかけた。

彼女はベッドに寝たまま、私の顔を訴《うった》えるように見上げて、それを私に言わせまいとするように、口へ指をあてた。

＊＊＊

八ヶ岳《やつがたけ》の大きなのびのびとした代赭色《たいしゃいろ》＊の裾野が漸《ようや》くその勾配《こうばい》を弛《ゆる》めようとするところに、サナトリウムは、いくつかの側翼を並行に拡げながら、南を向いて立っていた。その裾野の傾斜は更《さら》に延びて行って、二三の小さな山村を村全体傾かせながら、最後に無数の黒い松にすっかり包まれながら、見えない谿間《たにま》のなかに尽《つ》きていた。

サナトリウムの南に開いたバルコンからは、それらの傾いた村とその赭《あか》ちゃけた耕作地が一帯に見渡され、更にそれらを取り囲みながら果てしなく並《な》み立っている松林の上に、よく晴れている日だったならば、南から西にかけて、南アルプスとその二三の支脈とが、いつも自分自身で湧《わ》き上らせた雲のなかに見え隠《かく》れしていた。

サナトリウムに着いた翌朝、自分の側室で私が目を醒《さ》ますと、小さな窓枠《まどわく》の中に、藍青色《らんせいしょく》に晴れ切った空と、それからいくつもの真っ白い鶏冠《とさか》のような山顛《さんてん》が、そこにまるで大気からひょっくり生れでもしたような思いがけなさで、殆《ほと》んど目《ま》ながいに見られた。そして寝たままでは見られないバルコンや屋根の上に積った雪からは、急に春めいた日の光を浴びながら、絶えず水蒸気がたっているらしかった。

すこし寝過したくらいの私は、いそいで飛び起きて、隣《とな》りの病室へはいって行った。節子は、すでに目を醒ましていて、毛布にくるまりながら、ほてったような顔をしていた。

「お早う」私も同じように、顔がほてり出すのを感じながら、気軽そうに言った。

「よく寝られた？」

「ええ」彼女は私にうなずいて見せた。「ゆうべ睡眠剤《くすり》を飲んだの。なんだか頭がすこし痛いわ」

私はそんなことになんか構っていられないと云《い》った風に、元気よく窓も、それからバルコンに通じる硝子扉《ガラスドア》も、すっかり開け放した。まぶしくって、一時は何も見られない位だったが、そのうちそれに目がだんだん馴《な》れてくると、雪に埋れたバルコンからも、屋根からも、野原からも、木からさえも、軽い水蒸気の立っているのが見え出した。

「それにとても可笑《おか》しな夢《ゆめ》を見たの。あのね……」彼女が私の背後で言い出しかけた。

私はすぐ、彼女が何か打ち明けにくいようなことを無理に言い出そうとしているらしいのを覚《さと》った。そんな場合のいつものように、彼女のいまの声もすこし嗄《しゃが》れていた。

今度は私が、彼女の方を振り向きながら、それを言わせないように、口へ指をあてる番だった。……

やがて看護婦長がせかせかした親切そうな様子をしてはいって来た。こうして看護婦長は、毎朝、病室から病室へと患者達を一人一人見舞《みま》うのである。

「ゆうべはよくお休みになれましたか？」看護婦長は快活そうな声で尋《たず》ねた。

病人は何も言わないで、素直《すなお》にうなずいた。

⁂

こういう山のサナトリウムの生活などは、普通の人々がもう行き止まりだと信じているところから始まっているような、特殊《とくしゅ》な人間性をおのずから帯びてくるものだ。――私が自分の裡《うち》にそういう見知らないような人間性をぼんやりと意識しはじめたのは、入院後間もなく私が院長に診察室に呼ばれて行って、節子のレントゲンで撮《と》られた疾患部《しっかんぶ》の写真を見せられた時からだった。

院長は私を窓ぎわに連れて行って、私にも見よいように、その写真の原板を日に透《す》かせながら、一々それに説明を加えて行った。右の胸には数本の白々とした肋骨《ろっこつ》がくっきりと認められたが、左の胸にはそれらが殆んど何も見えない位、大きな、まるで暗い不思議な花のような、病竈《びょうそう》*ができていた。

「思ったよりも病竈が拡がっているなあ。……こんなにひどくなってしまっていると は思わなかったね。……これじゃ、いま、病院中でも二番目ぐらいに重症《じゅうしょう》かも知れんよ……」

そんな院長の言葉が自分の耳の中でがあがあするような気がしながら、私はなんだか思考力を失ってしまった者みたいに、いましがた見て来たあの暗い不思議な花のような影像《イマアジュ》をそれらの言葉とは少しも関係がないもののように、それだけを鮮《あざや》かに意識の閾《しきみ》に上らせながら、診察室から帰って来た。自分とすれちがう白衣の看護婦だの、もうあちこちのバルコンで日光浴をしだしている裸体《らたい》の患者達だの、病棟のざわめきだの、それから小鳥の囀《さえず》りだのが、そういう私の前を何んの連絡《れんらく》もなしに過ぎた。私はとうとう一番はずれの病棟にはいり、私達の病室のある二階へ通じる階段を昇《のぼ》ろうとして機械的に足を弛《ゆる》めた瞬間《しゅんかん》、その階段の一つ手前にある病室の中から、異様な、ついぞそんなのはまだ聞いたこともないような気味のわるい空咳《からぜき》が続けさまに洩《も》れて来るのを耳にした。「おや、こんなところにも患者がいたのかなあ」と思いながら、私はそのドアについている *No. 17* という数字を、ただぼんやりと見つめた。

***

こうして私達のすこし風変りな愛の生活が始まった。

節子は入院以来、安静を命じられて、ずっと寝ついたきりだった。そのために、気分の好《い》いときはつとめて起きるようにしていた入院前の彼女に比べると、かえって病人らしく見えたが、別に病気そのものは悪化したとも思えなかった。医者達もまた直ぐ快癒《かいゆ》する患者として彼女をいつも取り扱《あつか》っているように見えた。「こうして病気を生捕《いけど》りにしてしまうのだ」と院長などは冗談《じょうだん》でも言うように言ったりした。

季節はその間に、いままで少し遅《おく》れ気味だったのを取り戻《もど》すように、急速に進み出していた。春と夏とが殆んど同時に押《お》し寄せて来たかのようだった。毎朝のように、鶯《うぐいす》や閑古鳥《かんこどり》の囀《さえず》りが私達を眼ざませた。そして殆んど一日中、周囲の林の新緑がサナトリウムを四方から襲《おそ》いかかって、病室の中まですっかり爽《さわ》やかに色づかせていた。それらの日々、朝のうちに山々から湧いて出て行った白い雲までも、夕方には再び元の山々へ立ち戻って来るかと見えた。

私は、私達が共にした最初の日々、私が節子の枕《まくら》もとに殆んど附ききりで過したそれらの日々のことを思い浮《うか》べようとすると、それらの日々が互《たがい》に似ているために、その魅力《みりょく》はなくはない単一さのために、殆んどどれが後だか先きだか見分けがつかなくなるような気がする。

と言うよりも、私達はそれらの似たような日々を繰《く》り返しているうちに、いつか全く時間というものからも抜け出してしまっていたような気さえする位だ。そして、そういう時間から抜け出したような日々にあっては、私達の日常生活のどんな些細《ささい》なものまで、その一つ一つがいままでとは全然異《ちが》った魅力を持ち出すのだ。私の身辺にあるこの微温《なまぬる》い、好《い》い匂《にお》いのする存在、その少し早い呼吸、私の手をとっているそのしなやかな手、その微笑《びしょう》、それからまたときどき取り交《か》わす平凡《へいぼん》な会話、——そう云ったものを若《も》し取り除いてしまうとしたら、あとには何も残らないような単一な日々だけれども、——我々の人生なんぞというものは要素的には実はこれだけなのだ、そして、こんなささやかなものだけで私達がこれほどまで満足していられるのは、ただ私がそれをこの女と共にしているからなのだ、と云うことを私は確信していられた。

それらの日々に於《お》ける唯一《ゆいいつ》の出来事と云えば、彼女がときおり熱を出すことだった。それは彼女の体をじりじり衰《おとろ》えさせて行くものにちがいなかった。が、私達はそういう日は、いつもと少しも変らない日課の魅力を、もっと細心に、もっと緩慢《かんまん》に、あたかも禁断の果実の味をこっそり偸《ぬす》みでもするように味わおうと試みたので、私達のいくぶん死の味のする生の幸福はその時は一そう完全に保たれた程《ほど》だった。

そんな或《あ》る夕暮《ゆうぐれ》、私はバルコンから、そして節子はベッドの上から、同じように、向うの山の背に入って間もない夕日を受けて、そのあたりの山だの丘《おか》だの松林だの山畑だのが、半ば鮮かな茜色《あかねいろ》を帯びながら、半ばまだ不確かなような鼠色《ねずみいろ》に徐々《じょじょ》に侵《おか》され出しているのを、うっとりとして眺《なが》めていた。ときどき思い出したようにその森の上へ小鳥たちが抛物線《ほうぶつせん》を描《えが》いて飛び上った。――私は、このような初夏の夕暮がほんの一瞬時生じさせている一帯の景色は、すべてはいつも見馴《みな》れた道具立てながら、恐《おそ》らく今を措《お》いてはこれほどの溢《あふ》れるような幸福の感じをもって私達自身にすら眺め得られないだろうことを考えていた。そしてずっと後になって、いつかこの美しい夕暮が私の心に蘇《よみがえ》って来るようなことがあったら、私はこれに私達の幸福そのものの完全な絵を見出すだろうと夢みていた。

「何をそんなに考えているの?」私の背後から節子がとうとう口を切った。

「私達がずっと後になってね、今の私達の生活を思い出すようなことがあったら、それがどんなに美しいだろうと思っていたんだ」

「本当にそうかも知れないわね」彼女はそう私に同意するのがさも愉《たの》しいかのように応じた。

それからまた私達はしばらく無言のまま、再び同じ風景に見入っていた。が、そのうちに私は不意になんだか、こうやってうっとりとそれに見入っているのが自分であるような自分でないような、変に茫漠《ぼうばく》とした、取りとめのない、そしてそれが何んとなく苦しいような感じさえして来た。そのとき私は自分の背後で深い息のようなものを聞いたような気がした。が、それがまた自分のだったような気もされた。私はそれを確かめでもするように、彼女の方を振り向いた。

「そんなにいまの……」そういう私をじっと見返しながら、彼女はすこし嗄《しゃが》れた声で言いかけた。が、それを言いかけたなり、すこし躊躇《ためら》っていたようだったが、それから急にいままでとは異《ちが》った打棄《うっちゃ》るような調子で、「そんなにいつまでも生きて居られたらいいわね」と言い足した。

「又、そんなことを！」

私はいかにも焦《じ》れったいように小さく叫《さけ》んだ。

「御免《ごめん》なさい」彼女はそう短く答えながら私から顔をそむけた。

いましがたまでの何か自分にも訣《わけ》の分らないような気分が私にはだんだん一種の苛《い》ら立たしさに変り出したように見えた。私はそれからもう一度山の方へ目をやったが、その時は既《すで》にもうその風景の上に一瞬間生じていた異様な美しさは消え失せていた。

その晩、私が隣りの側室へ寝に行こうとした時、彼女《かのじょ》は私を呼び止めた。

「さっきは御免なさいね」

「もういいんだよ」

「私ね、あのとき他《ほか》のことを言おうとしていたんだけれど……つい、あんなことを言ってしまったの」

「じゃ、あのとき何を言おうとしたんだい？」

「……あなたはいつか自然なんぞが本当に美しいと思えるのは死んで行こうとする者の眼にだけだと仰《おっ》しゃったことがあるでしょう。……私、あのときね、それを思い出したの。何んだかあのときの美しさがそんな風に思われて」そう言いながら、彼女は私の顔を何か訴えたいように見つめた。

その言葉に胸を衝《つ》かれでもしたように、私は思わず目を伏《ふ》せた。そのとき、突然《とつぜん》、私の頭の中を一つの思想がよぎった。そしてさっきから私を苛ら苛らさせていた、何か不確かなような気分が、漸《ようや》く私の裡《うち》ではっきりとしたものになり出した。……「そうだ、おれはどうしてそいつに気がつかなかったのだろう？　あのとき自然なんぞをあんなに美しいと思ったのはおれじゃないのだ。それはおれ達だったのだ。まあ言ってみれば、節子の魂《たましい》がおれの眼を通して、そしてただおれの流儀《りゅうぎ》で、夢みていただけなのだ。……それだのに、節子が自分の最後の瞬間のことを夢みているとも知らないで、おれはおれで、勝手におれ達の長生きした時のことなんぞ考えていたなんて……」

いつしかそんな考えをとつおいつし出していた私が、漸《や》っと目を上げるまで、彼女はさっきと同じように私をじっと見つめていた。私はその目を避《さ》けるような恰好《かっこう》をしながら、彼女の上に跼《こご》みかけて、その額にそっと接吻《せっぷん》した。私は心から羞《はず》かしかった。

……

＊＊＊

とうとう真夏になった。それは平地でよりも、もっと猛烈《もうれつ》な位であった。裏の雑木林《ぞうきばやし》では、何かが燃え出しでもしたかのように、蟬《せみ》がひねもす啼《な》き止《や》まなかった。樹脂《じゅし》のにおいさえ、開け放した窓から漂《ただよ》って来た。夕方になると、戸外で少しでも楽な呼吸をするために、バルコンまでベッドを引き出させる患者《かんじゃ》達が多かった。それらの患者達を見て、私達ははじめて、この頃俄《ごろにわ》かにサナトリウムの患者達の増え出したことを知った。しかし、私達は相かわらず誰《だれ》にも構わずに二人だけの生活を続けていた。

この頃、節子は暑さのためにすっかり食欲を失い、夜などもよく寝られないことが多いらしかった。私は、彼女の昼寝を守るために、前よりも一層、廊下《ろうか》の足音や、窓から飛びこんでくる蜂《はち》や虻《あぶ》などに気を配り出した。そして暑さのために思わず大きくなる私自身の呼吸にも気をもんだりした。

そのように病人の枕元で、息をつめながら、彼女の眠《ねむ》っているのを見守っているのは、私にとっても一つの眠りに近いものだった。私は彼女が眠りながら呼吸を速くしたり弛《ゆる》くしたりする変化を苦しいほどはっきりと感じるのだった。私は彼女と心臓の鼓動《こどう》をさえ共にした。ときどき軽い呼吸困難が彼女を襲うらしかった。そんな時、手をすこし痙攣《けいれん》させながら咽《のど》のところまで持って行ってそれを抑《おさ》えるような手つきをする、——夢に魘《おそ》われてでもいるのではないかと思って、私が起してやったものかどうかと躊躇《ためら》っているうち、そんな苦しげな状態はやがて過ぎ、あとに弛緩《しかん》状態がやって来る。そうすると、私も思わずほっとしながら、いま彼女の息づいている静かな呼吸に自分までが一種の快感さえ覚える。——そうして彼女が目を醒《さ》ますと、私はそっと彼女の髪《かみ》に接吻をしてやる。彼女はまだ倦《だ》るそうな目つきで、私を見るのだった。

「あなた、そこにいたの？」

「ああ、僕《ぼく》もここで少しうつらうつらしていたんだ」

そんな晩など、自分もいつまでも寝つかれずにいるようなことがあると、私はそれは本当の呼吸困難を感じたりする。が、それは私にはむしろ快いものでさえあった。うな手つきを真似《まね》たりしている。そしてそれに気がついたあとで、それからやっと私が癖《くせ》にでもなったように、自分でも知らずに、手を咽に近づけながらそれを抑えるよ

「この頃《ごろ》なんだかお顔色が悪いようよ」或る日、彼女はいつもよりしげしげと見ながら言うのだった。「どうかなすったのじゃない？」

「なんでもないよ」そう言われるのは私の気に入った。「僕はいつだってこうじゃないか？」

「あんまり病人の側《そば》にばかりいないで、少しは散歩くらいなすっていらっしゃらない？」

「この暑いのに、散歩なんか出来るもんか。……夜は夜で、真っ暗だしさ。……それに毎日、病院の中をずいぶん往《い》ったり来たりしているんだからなあ」

私はそんな会話をそれ以上にすすめないために、毎日廊下などで出逢《であ》ったりする、他の患者達の話を持ち出すのだった。よくバルコンの縁に一塊《ひとかたま》りになりながら、空を競馬場に、動いている雲をいろいろそれに似た動物に見立て合ったりしている年少の患者達のことや、いつも附添《つきそい》看護婦の腕《うで》にすがって、あてもなしに廊下を往復してい

る、ひどい神経衰弱《すいじゃく》の、無気味なくらい背の高い患者のことなどを話して聞かせたりした。しかし、私はまだ一度もその顔は見たことがないが、いつもその部屋の前を通る度《たび》ごとに、気味のわるい、なんだかぞっとするような咳《せき》を耳にする例の第十七号室の患者のことだけは、つとめて避けるようにしていた。恐らくそれがこのサナトリウム中で、一番重症の患者なのだろうと思いながら。……

八月も漸く末近くなったのに、まだずっと寝苦しいような晩が続いていた。そんな或る晩、私達がなかなか寝つかれずにいると、(もうとっくに就眠時間の九時は過ぎていた。……)ずっと向うの下の病棟《びょうとう》が何んとなく騒々《そうぞう》しくなり出した。それにときどき廊下を小走りにして行くような足音や、抑えつけたような看護婦の小さな叫びや、器具の鋭《するど》くぶつかる音がまじった。私はしばらく不安そうに耳を傾《かたむ》けていた。それがやっと鎮《しず》まったかと思うと、それとそっくりな沈黙《ちんもく》のざわめきが、殆《ほとん》ど同時に、あっちの病棟にもこっちの病棟にも起り出した、そしてしまいには私達のすぐ下の方からも聞えて来た。

私は、今、サナトリウムの中を嵐《あらし》のように暴れ廻《まわ》っているものの何んであるかぐらいは知っていた。私はその間に何度も耳をそば立てては、さっきからあかりは消してあるものの、まだ同じように寝つかれずにいるらしい隣室《りんしつ》の病人の様子を窺《うかが》った。病人は寝返りさえ打たずに、じっとしているらしかった。私も息苦しいほどじっとしながら、そんな嵐がひとりでに衰えて来るのを待ち続けていた。

真夜中になってからやっとそれが衰え出すように見えたので、私は思わずほっとしながら少し微睡《まどろ》みかけたが、突然、隣室で病人がそれまで無理に抑えつけていたような神経的な咳を二つ三つ強くしたので、ふいと目を覚ました。そのまますぐその咳は止まったようだったが、私はどうも気になってならなかったので、そっと隣室にはいって行った。真っ暗な中に、病人は一人で怯《おび》えてでもいたように、大きく目を見ひらきながら、私の方を見ていた。私は何も言わずに、その側に近づいた。

「まだ大丈夫《だいじょうぶ》よ」

彼女はつとめて微笑《びしょう》をしながら、私に聞えるか聞えない位の低声《こごえ》で言った。私は黙《だま》ったまま、ベッドの縁に腰《こし》をかけた。

「そこにいて頂戴《ちょうだい》」

病人はいつもに似ず、気弱そうに、私にそう言った。私達はそうしたまままんじりともしないでその夜を明かした。

そんなことがあってから、二三日すると、急に夏が衰え出した。

＊＊＊

九月になると、すこし荒《あ》れ模様の雨が何度となく降ったり止《や》んだりしていたが、そのうちにそれは殆んど小止《おや》みなしに降り続き出した。それは木の葉を黄ばませるより先きに、それを腐《くさ》らせるかと見えた。サナトリウムの部屋部屋も、毎日窓を閉め切って、薄暗《うすぐら》いほどだった。風がときどき戸をばたつかせた。そして裏の雑木林から、単調な、重くるしい音を引きもぎった。風のない日は、私達は終日、雨が屋根づたいにバルコンの上に落ちるのを聞いていた。そんな雨が漸《や》っと霧《きり》に似だした或る早朝、私は窓から、バルコンの面している細長い中庭がいくぶん薄明くなって来たようなのをぼんやりと見おろしていた。その時、中庭の向うの方から、一人の看護婦が、そんな霧のような雨の中をそこここに咲《さ》き乱れている野菊《のぎく》やコスモスを手あたり次第に採《と》りながら、こっちへ向って近づいて来るのが見えた。私はそれがあの第十七号室の附添看護婦であることを認めた。「ああ、あのいつも不快な咳ばかり聞いていた患者が死んだのかも知れないなあ」ふとそんなことを思いながら、雨に濡《ぬ》れたまま何だか興奮したようになってまだ花を採っているその看護婦の姿を見つめているうちに、私は急に心臓がしめつけられるような気がしだした。「やっぱり此処《ここ》で一番重かったのはあいつだったのかな？　が、あいつがとうとう死んでしまったとすると、こんどは？　……ああ、あんなことを院長が言ってくれなければよかったんだに……」

私はその看護婦が大きな花束《はなたば》を抱《かか》えたままバルコンの蔭《かげ》に隠れてしまってからも、うつけたように窓硝子《まどガラス》に顔をくっつけていた。

「何をそんなに見ていらっしゃるの？」ベッドから病人が私に問うた。

「こんな雨の中で、さっきから花を採っている看護婦がいるんだけれど、あれは誰だろうかしら？」

私はそう独《ひと》り言《ごと》のようにつぶやきながら、やっとその窓から離れた。

しかし、その日はとうとう一日中、私はなんだか病人の顔をまともに見られずにいた。何もかも見抜いていながら、わざと知らぬような様子をして、ときどき私の方をじっと病人が見ているような気さえされて、それが私を一層苦しめた。こんな風にお互《たがい》に分たれない不安や恐怖《きょうふ》を抱《いだ》きはじめて、二人が二人で少しずつ別々にものを考え出すなんて云《い》うことは、いけないことだと思い返しては、私は早くこんな出来事は忘れてしまおうと努めながら、又《また》いつのまにやらその事ばかりを頭に浮《うか》べていた。そしてしまいには、私達がこのサナトリウムに初めて着いた雪のふる晩に病人が見たという夢《ゆめ》、はじめはそれを聞くまいとしながら遂《つい》に打ち負けて病人からそれを聞き出してしまったあの不吉な夢のことまで、いままでずっと忘れていたのに、ひょっくり思い浮べたりしていた。――その不思議な夢の中で、病人は死骸《しがい》になって棺の中に臥《ね》ていた。人々はその棺を担《にな》いながら、何処《どこ》だか知らない野原を横切ったり、森の中へはいったりした。もう死んでいる彼女はしかし、棺の中から、すっかり冬枯《が》れた野面《のづら》や、黒い樅《もみ》の木などをありありと見たり、その上をさびしく吹いて過ぎる風の音を耳に聞いたりしていた、……その夢から醒《さ》めてからも、彼女は自分の耳がとても冷たくて、樅のざわめきがまだそれを充《み》たしているのをまざまざと感じていた。……

そんな霧のような雨がなお数日降り続いているうちに、すでにもう他の季節になっていた。サナトリウムの中も、気がついて見ると、あれだけ多数になっていた患者達も一人去り二人去りして、そのあとにはこの冬をこちらで越《こ》さなければならないような重い患者達ばかりが取り残され、又、夏の前のような寂《さび》しさに変り出していた。第十七号室の患者の死がそれを急に目立たせた。

九月の末の或《あ》る朝、私が廊下《ろうか》の北側の窓から何気《なにげ》なしに裏の雑木林《ぞうきばやし》の方へ目をやって見ると、その霧ぶかい林の中にいつになく人が出たり入ったりしているのが異様に感じられた。看護婦達に訊《き》いて見ても何も知らないような様子をしていた。それっきり私もつい忘れていたが、翌日もまた、早朝から二三人の人夫が来て、その丘《おか》の縁にある栗《くり》の木らしいものを伐《き》り倒《たお》しはじめているのが霧の中に見えたり隠《かく》れたりしていた。

その日、私は患者達がまだ誰も知らずにいるらしいその前日の出来事を、ふとしたことから聞き知った。それはなんでも、例の気味のわるい神経衰弱の患者がその林の中で縊死《いし》していたと云う話だった。そう云えば、どうかすると日に何度も見かけた、あの附添看護婦の腕《うで》にすがって廊下を往ったり来たりしていた大きな男が、昨日から急に姿を消してしまっていることに気がついた。

「あの男の番だったのか……」第十七号室の患者が死んでからというものすっかり神経質になっていた私は、それからまだ一週間と立たないうちに引き続いて起ったそんな思いがけない死のために、思わずほっとしたような気持になった。そしてそれは、そんな陰惨《いんさん》な死から当然私が受けたにちがいない気味悪さすら、私にはそのために殆んど感ぜられずにしまったと云っていいほどであった。

「こないだ死んだ奴《やつ》の次ぎ位に悪いと言われていたって、何も死ぬと決まっているわけのものじゃないんだからなあ」私はそう気軽そうに自分に向って言って聞かせたりした。

裏の林の中の栗の木が二三本ばかり伐り取られて、何んだか間《ま》の抜《ぬ》けたようになってしまった跡《あと》は、今度はその丘の縁を、引きつづき人夫達が切り崩《くず》し出し、そこからすこし急な傾斜《けいしゃ》で下がっている病棟の北側に沿った少しばかりの空地にその土を運んでは、そこいら一帯を緩《ゆる》やかななぞえ*にしはじめていた。人はそこを花壇《かだん》に変える仕事に取りかかっているのだ。


***

「お父さんからお手紙だよ」

私は看護婦から渡された一束《ひとたば》の手紙の中から、その一つを節子に渡した。彼女はベッドに寝たままそれを受取ると、急に少女らしく目を赫《かがや》かせながら、それを読み出した。

「あら、お父様がいらっしゃるんですって」

旅行中の父は、その帰途《きと》を利用して近いうちにサナトリウムへ立ち寄るということを書いて寄こしたのだった。

それは或る十月のよく晴れた、しかし風のすこし強い日だった。近頃、寝たきりだったので食欲が衰《おとろ》え、やや痩《や》せの目立つようになった節子は、その日からつとめて食事をし、ときどきベッドの上に起きていたり、腰かけたりしだした。彼女はまたときどき思い出し笑いのようなものを顔の上に漂《ただよ》わせた。私はそれに彼女がいつも父の前でのみ浮べる少女らしい微笑《びしょう》の下描《したが》きのようなものを認めた。私はそういう彼女のするがままにさせていた。

それから数日立った或る午後、彼女の父はやって来た。

彼《かれ》はいくぶん前よりか顔にも老《おい》を見せていたが、それよりももっと目立つほど背中を屈《かが》めるようにしていた。それが何んとはなしに病院の空気を彼が恐れでもしているような様子に見せた。そうして病室へはいるなり、彼はいつも私の坐《すわ》りつけている病人の枕元《まくらもと》に腰を下ろした。ここ数日、すこし身体《からだ》を動かし過ぎたせいか、昨日の夕方いくらか熱を出し、医者の云いつけで、彼女はその期待も空《むな》しく、朝からずっと安静を命じられていた。

殆んどもう病人は癒《なお》りかけているものと思い込《こ》んでいたらしいのに、まだそうして寝たきりでいるのを見て、父はすこし不安そうな様子だった。そしてその原因を調べでもするかのように、病室の中を仔細《しさい》に見廻したり、看護婦達の一々の動作を見守ったり、それからバルコンにまで出て行って見たりしていたが、それらはいずれも彼を満足させたらしかった。そのうちに病人がだんだん興奮よりも熱のせいで頰《ほお》を薔薇色《ばらいろ》にさせ出したのを見ると、「しかし顔色はとてもいい」と、娘《むすめ》が何処《どこ》か良くなっていることを自分自身に納得《なっとく》させたいかのように、そればかり繰《く》り返していた。

私はそれから用事を口実にして病室を出て行き、彼等を二人きりにさせて置いた。やがてしばらくしてから、再びはいって行って見ると、病人はベッドの上に起き直っていた。そして掛布《かけふ》の上に、父のもってきた菓子函《かしばこ》や他の紙包を一ぱいに拡《ひろ》げていた。それは少女時代彼女《かのじょ》の好きだった、そして今でも好きだと父の思っているようなものばかりらしかった。私を見ると、彼女はまるで悪戯《いたずら》を見つけられた少女のように、顔を赧《あか》くしながら、それを片づけ、すぐ横になった。

私はいくぶん気づまりになりながら、二人からすこし離《はな》れて、窓ぎわの椅子《いす》に腰かけた。二人は、私のために中断されたらしい話の続きを、さっきよりも低声《こごえ》で、続け出した。それは私の知らない馴染《なじ》みの人々や事柄《ことがら》に関するものが多かった。そのうちの或る物は、彼女に、私の知り得ないような小さな感動をさえ与《あた》えているらしかった。

私は二人のさも愉《たの》しげな対話を何かそういう絵でも見ているかのように、見較《みくら》べていた。そしてそんな会話の間に父に示す彼女の表情や抑揚《よくよう》のうちに、何か非常に少女らしい輝《かがや》きが蘇《よみがえ》るのを私は認めた。そしてそんな彼女の子供らしい幸福の様子が、私に、私の知らない彼女の少女時代のことを夢みさせていた。……

ちょっとの間、私達が二人きりになった時、私は彼女に近づいて、揶揄《からか》うように耳打ちした。

「お前は今日はなんだか見知らない薔薇色の少女みたいだよ」

「知らないわ」彼女はまるで小娘のように顔を両手で隠した。

＊＊＊

父は二日滞在《たいざい》して行った。

出発する前、父は私を案内役にして、サナトリウムのまわりを歩いた。が、それは私と二人きりで話すのが目的だった。空には雲ひとつない位に晴れ切った日だった。いつになくくっきりと赭《あか》ちゃけた山肌《やまはだ》を見せている八ヶ岳《やつがたけ》などを私が指して示しても、父はそれにはちょっと目を上げるきりで、熱心に話をつづけていた。

「ここはどうもあれの身体《からだ》には向かないのではないだろうか？　もう半年以上にもなるのだから、もうすこし良くなっていそうなものだが……」

「さあ、今年の夏は何処《どこ》も気候が悪かったのではないでしょうか？　それにこういう山の療養所《りょうようじょ》なんぞは冬がいいのだと云いますが……」

「それは冬まで辛抱《しんぼう》して居られればいいのかも知れんが……しかしあれには冬まで我《が》慢《まん》できまい……」

「しかし自分では冬もいる気でいるようですよ」私はこういう山の孤独《こどく》がどんなに私達の幸福を育《はぐく》んでいてくれるかと云うことを、どうしたら父に理解させられるだろうかともどかしがりながら、しかしそういう私達のために父の払《はら》っている犠牲《ぎせい》のことを思えば何んともそれを言い出しかねて、私達のちぐはぐな対話を続けていた。「まあ、折角《せっかく》山へ来たのですから、居られるだけ居て見るようになさいませんか？」

「……だが、あなたも冬迄一緒《までいっしょ》にいて下されるのか？」

「ええ、勿論《もちろん》居ますとも」

「それはあなたには本当にすまんな。……だが、あなたは、いま仕事はしておられるのか？」

「いいえ……」

「しかし、あなたも病人にばかり構っておらずに、仕事も少しはなさらなければいけないね」

「ええ、これから少し……」と私は口籠《くちごも》るように言った。

――「そうだ、おれは随分《ずいぶん》長いことおれの仕事を打棄《うっちゃ》らかしていたなあ。なんとかして今のうちに仕事もし出さなければあいけない」……そんなことまで考え出しながら、何かしら私は気持が一ぱいになって来た。それから私達はしばらく無言のまま、丘《おか》の上に佇《たたず》みながら、いつのまにか西の方から中空にずんずん拡がり出した無数の鱗《うろこ》のような雲をじっと見上げていた。

やがて私達はもうすっかり木の葉の黄ばんだ雑木林《ぞうきばやし》の中を通り抜けて、裏手から病院へ帰って行った。その日も、人夫が二三人で、例の丘を切り崩《くず》していた。その傍《そば》を通り過ぎながら、私は「何んでもここへ花壇をこしらえるんだそうですよ」といかにも何気《なにげ》なさそうに言ったきりだった。

夕方停車場まで父を見送りに行って、私が帰って来て見ると、病人はベッドの中で身体を横向きにしながら、激《はげ》しい咳《せき》にむせっていた。こんなに激しい咳はこれまで一度もしたことはないくらいだった。その発作《ほっさ》がすこし鎮《しず》まるのを待ちながら、私が、

「どうしたんだい？」と訊《たず》ねると、

「なんでもないの。……じき止まるわ」病人はそれだけやっと答えた。「その水を頂戴《ちょうだい》」

私はフラスコからコップに水をすこし注《つ》いで、それを彼女の口に持って行ってやった。彼女はそれを一口飲むと、しばらく平静にしていたが、そんな状態は短い間に過ぎ、又も、さっきよりも激しい位の発作が彼女を襲《おそ》った。私は殆《ほと》んどベッドの端《はし》までのり出して身もだえしている彼女をどうしようもなく、ただこう訊《き》いたばかりだった。

「看護婦を呼ぼうか?」

「……………」

彼女はその発作が鎮まっても、いつまでも苦しそうに身体をねじらせたまま、両手で顔を蔽《おお》いながら、ただ頷《うなず》いて見せた。

私は看護婦を呼びに行った。そして私に構わず先きに走っていった看護婦のすこし後から病室へはいって行くと、病人はその看護婦に両手で支えられるようにしながら、いくぶん楽そうな姿勢に返っていた。が、彼女はうつけたようにぼんやりと目を見ひらいているきりだった。咳の発作は一時止まったらしかった。

看護婦は彼女を支えていた手を少しずつ放しながら、

「もう止まったわね。……すこうし、そのままじっとしていらっしゃいね」と言って、乱れた毛布などを直したりしはじめた。「いま注射を頼《たの》んで来て上げるわ」

看護婦は部屋を出て行きながら、何処《どこ》にいていいか分らなくなってドアのところに棒立ちに立っていた私に、ちょっと耳打ちした。「すこし血痰《けったん》を出してよ」

私はやっと彼女の枕元に近づいて行った。

彼女はぼんやりと目は見ひらいていたが、なんだか眠《ねむ》っているとしか思えなかった。私はその蒼《あお》ざめた額にほつれた小さな渦《うず》を巻いている髪《かみ》を掻《か》き上げてやりながら、その冷たく汗《あせ》ばんだ額を私の手でそっと撫《な》でた。彼女はやっと私の温かい存在をそれに感じでもしたかのように、ちらっと謎《なぞ》のような微笑を脣《くちびる》に漂わせた。

＊＊＊

絶対安静の日々が続いた。

病室の窓はすっかり黄色い日覆《ひおおい》を卸《おろ》され、中は薄闇《うすぐら》くされていた。看護婦達も足を爪《つま》立《だ》てて歩いた。私は殆んど病人の枕元に附《つ》きっきりでいた。夜伽《よとぎ》＊も一人で引き受けていた。ときどき病人は私の方を見て何か言い出しそうにした。私はそれを言わせないように、すぐ指を私の口にあてた。

そのような沈黙《ちんもく》が、私達をそれぞれ各自の考えの裡《うち》に引っ込ませていた。が、私達はただ相手が何を考えているのかを、痛いほどはっきりと感じ合っていた。そして私が、今度の出来事をあたかも自分のために病人が犠牲にしていてくれたものが、ただ目に見えるものに変ったただけかのように思いつめている間、病人はまた病人で、これまで二人してあんなにも細心に細心にと育て上げてきたものを自分の軽はずみから一瞬に打ち壊《こわ》してしまいでもしたように悔《く》いているらしいのが、はっきりと私に感じられた。

そしてそういう自分の犠牲を犠牲ともしないで、自分の軽はずみなことばかりを責めているように見える病人のいじらしい気持が、私の心をしめつけていた。そういう犠牲をまで病人に当然の代償《だいしょう》のように払わせながら、それがいつ死の床《とこ》になるかも知れぬようなベッドで、こうして病人と共に愉《たの》しむようにして味わっている生の快楽――それこそ私達を、この上なく幸福にさせてくれるものだと私達が信じているもの、――それは果して私達を本当に満足させ了《おお》せるものだろうか？　私達がいま私達の幸福だと思っているものは、私達がそれを信じているよりは、もっと束《つか》の間《ま》のもの、もっと気まぐれに近いようなものではないだろうか？　……

夜伽に疲れた私は、病人の微睡《まどろ》んでいる傍で、そんな考えをとつおいつしながら、この頃《ごろ》ともすれば私達の幸福が何物かに脅《おびや》かされがちなのを、不安そうに感じていた。

その危機は、しかし、一週間ばかりで立ち退《の》いた。

或《あ》る朝、看護婦がやっと病室から日覆《ひおおい》を取り除《の》けて、窓の一部を開け放して行った。窓から射《さ》し込んで来る秋らしい日光をまぶしそうにしながら、

「気持がいいわ」と病人はベッドの中から蘇《よみがえ》ったように言った。

彼女の枕元で新聞を拡《ひろ》げていた私は、人間に大きな衝動《しょうどう》を与える出来事なんぞと云《い》うものは却《かえ》ってそれが過ぎ去った跡《あと》は何んだかまるで他所《よそ》の事のように見えるものだなあと思いながら、そういう彼女の方をちらりと見やって、思わず揶揄《やゆ》するような調子で言った。

「もうお父さんが来たって、あんなに興奮しない方がいいよ」

彼女は顔を心持ち赧《あか》らめながら、そんな私の揶揄を素直《すなお》に受け入れた。

「こんどはお父様がいらっしったって知らん顔をしていてやるわ」

「それがお前に出来るんならねえ……」

そんな風に冗談《じょうだん》でも言い合うように、私達はお互《たがい》に相手の気持をいたわり合うようにしながら、一緒になって子供らしく、すべての責任を彼女の父に押《お》しつけ合ったりした。

そうして私達は少しもわざとらしくなく、この一週間の出来事がほんの何かの間違《まちが》いに過ぎなかったような、気軽な気分になりながら、いましがたまで私達を肉体的ば

かりでなく、精神的にも襲いかかっているように見えた危機を、事もなげに切り抜《ぬ》け出していた。少くとも私達にはそう見えた。……

或る晩、私は彼女の側《わき》で本を読んでいるうち、突然《とつぜん》、それを閉《と》じて、窓のところに行き、しばらく考え深そうに佇《たたず》んでいた。それから又《また》、彼女の傍《そば》に帰った。私は再び本を取り上げて、それを読み出した。

「どうしたの？」彼女は顔を上げながら私に問うた。

「何んでもない」私は無造作《むぞうさ》にそう答えて、数秒時本の方に気をとられているような様子をしていたが、とうとう私は口を切った。

「こっちへ来てあんまり何もせずにしまったから、僕《ぼく》はこれから仕事でもしようかと考え出しているのさ」

「そうよ、お仕事をなさらなければいけないわ。お父様もそれを心配なさっていたわ」彼女は真面目《まじめ》な顔つきをして返事をした。「私なんかのことばかり考えていないで……」

「いや、お前のことをもっともっと考えたいんだ……」私はそのとき咄嗟《とっさ》に頭に浮《うか》んで来た或る小説の漠《ばく》としたイデエ*をすぐその場で追い廻《まわ》し出しながら、独《ひと》り言《ごと》のように言い続けた。「おれはお前のことを小説に書こうと思うのだよ。それより他《ほか》のことは今のおれには考えられそうもないのだ。おれ達がこうしてお互に与え合っているこの幸福、――皆がもう行き止まりだと思っているところから始っているようなこの生の愉しさ、――そう云った誰《だれ》も知らないような、おれ達だけのものを、おれはもっと確実なものに、もうすこし形をなしたものに置き換《か》えたいのだ。分るだろう？」

「分るわ」彼女は自分自身の考えでも逐《お》うかのように私の考えを逐っていたらしく、それにすぐ応じた。が、それから口をすこし歪《ゆが》めるように笑いながら、「私のことならどうでもお好きなようにお書きなさいな」と私を軽く遇《あしら》うように言い足した。

私はしかし、その言葉を率直《そっちょく》に受取った。

「ああ、それはおれの好きなように書くともさ。……が、今度の奴《やつ》はお前にもたんと助力して貰《もら》わなければならないのだよ」

「私にも出来ることなの？」

「ああ、お前にはね、おれの仕事の間、頭から足のさきまで幸福になっていて貰いたいんだ。そうでないと……」

一人でぼんやりと考え事をしているのよりも、こうやって二人で一緒に考え合っているみたいな方が、余計自分の頭が活潑《かっぱつ》に働くのを異様に感じながら、私はあとからあとからと湧《わ》いてくる思想に押されでもするかのように、病室の中をいつか往《い》ったり来たりし出していた。

「あんまり病人の側にばかりいるから、元気がなくなるのよ。……すこしは散歩でもしていらっしゃらない？」

「うん、おれも仕事をするとなりあ」と私は目を赫《かがや》かせながら、元気よく答えた。「うんと散歩もするよ」

⁂

私はその森を出た。大きな沢《さわ》を隔《へだ》てながら、向うの森を越《こ》して、八ヶ岳の山麓《さんろく》一帯が私の目の前に果てしなく展開していたが、そのずっと前方、殆んどその森とすれすれぐらいのところに、一つの狭《せま》い村とその傾《かたむ》いた耕作地とが横たわり、そして、その一部にいくつもの赤い屋根を翼《つばさ》のように拡げたサナトリウムの建物が、ごく小さな姿になりながらしかし明瞭《めいりょう》に認められた。

私は早朝から、何処《どこ》をどう歩いているのかも知らずに、足の向くまま、自分の考えにすっかり身を任せ切ったようになって、森から森へとさ迷いつづけていたのだったが、いま、そんな風に私の目《ま》のあたりに、秋の澄《す》んだ空気が思いがけずに近よせているサナトリウムの小さな姿を、不意に視野に入れた刹那《せつな》、私は急に何か自分に憑《つ》いていたものから醒《さ》めたような気持で、その建物の中で多数の病人達に取り囲まれながら、毎日毎日を何気《なにげ》なさそうに過している私達の生活の異様さを、はじめてそれから引き離して考え出した。そうしてさっきから自分の裡《うち》に湧き立っている制作欲にそれからそれへと促《うなが》されながら、私はそんな私達の奇妙《きみょう》な日ごと日ごとを一つの異常にパセティック*な、しかも物静かな物語に置き換え出した。……「節子よ、これまで二人のものがこんな風に愛し合ったことがあろうとは思えない。いままでお前というものはいなかったのだもの。それから私というものも……」

私の夢想《むそう》は、私達の上に起ったさまざまな事物の上を、或る時は迅速《じんそく》に過ぎ、或る時はじっと一ところに停滞《ていたい》し、いつまでもいつまでも躊躇《ためら》っているように見えた。私は節子から遠くに離《はな》れてはいたが、その間絶えず彼女《かのじょ》に話しかけ、そして彼女の答えるのを聞いた。そういう私達についての物語は、生そのもののように、果てしがないように思われた。そうしてその物語はいつのまにかそれ自身の力でもって生きはじめ、私に構わず勝手に展開し出しながら、ともすれば一ところに停滞しがちな私を其処《そこ》に取り残したまま、その物語自身があたかもそういう結果を欲《ほっ》しでもするかのように、病《や》める女主人公の物悲しい死を作為《さくい》しだしていた。――身の終りを予覚しながら、その衰《おとろ》えかかっている力を尽《つく》して、つとめて快活に、つとめて気高く生きようとしていた娘《むすめ》、――恋人《こいびと》の腕《うで》に抱《だ》かれながら、ただその残される者の悲しみを悲しみながら、自分はさも幸福そうに死んで行った娘、――そんな娘の影像《えいぞう》が空《くう》に描《えが》いたようにはっきりと浮んでくる。……「男は自分達の愛を一層純粋《じゅんすい》なものにしようと試みて、病身の娘を誘《さそ》うようにして山のサナトリウムにはいって行くが、死が彼等《かれら》を脅かすようになると、男はこうして彼等が得ようとしている幸福は、果してそれが完全に得られたにしても彼等自身を満足させ得《う》るものかどうかを、次第に疑うようになる。――が、娘はその死苦のうちに最後まで自分を誠実に介抱《かいほう》してくれたことを男に感謝しながら、さも満足そうに死んで行く。そして男はそういう気高い死者に助けられながら、やっと自分達のささやかな幸福を信ずることが出来るようになる……」

そんな物語の結末がまるで其処に私を待ち伏《ぶ》せてでもいたかのように見えた。そして突然、そんな死に瀕《ひん》した娘の影像が思いがけない烈《はげ》しさで私を打った。私はあたかも夢《ゆめ》から覚めたかのように何んともかとも言いようのない恐怖《きょうふ》と羞恥《しゅうち》とに襲われた。そしてそういう夢想を自分から振《ふ》り払《はら》おうとでもするように、私は腰《こし》かけていた橅《ぶな》の裸根から荒々《あらあら》しく立ち上った。

太陽はすでに高く昇《のぼ》っていた。山や森や村や畑、――そうしたすべてのものは秋の穏《おだや》かな日の中にいかにも安定したように浮んでいた。かなたに小さく見えるサナトリウムの建物の中でも、すべてのものは毎日の習慣を再び取り出しているのに違いなかった。そのうち不意に、それらの見知らぬ人々の間で、いつもの習慣から取残されたまま、一人でしょんぼりと私を待っている節子の寂《さび》しそうな姿を頭に浮べると、私は急にそれが気になってたまらないように、急いで山径《やまみち》を下りはじめた。

私は裏の林を抜けてサナトリウムに帰った。そしてバルコンを迂回《うかい》しながら、一番はずれの病室に近づいて行った。私には少しも気がつかずに、節子は、ベッドの上で、いつもしているように髪の先きを手でいじりながら、いくぶん悲しげな目つきで空《くう》を見つめていた。私は窓硝子《まどガラス》を指で叩《たた》こうとしたのをふと思い止《とど》まりながら、そういう彼女の姿をじっと見入った。彼女は何かに脅かされているのを漸《や》っと怺《こら》えているとでも云った様子で、それでいてそんな様子をしていることなどは恐《おそ》らく彼女自身も気がついていないのだろうと思える位、ぼんやりしているらしかった。……私は心臓をしめつけられるような気がしながら、そんな見知らない彼女の姿を見つめていた。……と突然、彼女の顔が明るくなったようだった。彼女は顔をもたげて、微笑《びしょう》さえしだした。彼女は私を認めたのだった。

私はバルコンからはいりながら、彼女の側に近づいて行った。

「何を考えていたの？」

「なんにも……」彼女はなんだか自分のでないような声で返事をした。

私がそのまま何も言い出さずに、すこし気が鬱《ふさ》いだように黙《だま》っていると、彼女は漸っといつもの自分に返ったような、親密な声で、

「何処《どこ》へ行っていらしったの？　随分《ずいぶん》長かったのね」

と私に訊《き》いた。

「向うの方だ」私は無雑作《むぞうさ》にバルコンの真正面に見える遠い森の方を指した。

「まあ、あんなところまで行ったの？……お仕事は出来そう？」

「うん、まあ……」私はひどく無愛想に答えたきり、しばらくまた元のような無言に返っていたが、それから出し抜けに私は、

「お前、いまのような生活に満足しているかい？」

といくらか上《うわ》ずったような声で訊いた。

彼女はそんな突拍子《とっぴょうし》もない質問にちょっとたじろいだ様子をしていたが、それから私をじっと見つめ返して、いかにもそれを確信しているように頷《うなず》きながら、

「どうしてそんなことをお訊きになるの？」

と不審《いぶか》しそうに問い返した。

「おれは何んだかいまのような生活がおれの気まぐれなのじゃないかと思ったんだ。そんなものをいかにも大事なもののようにこうやってお前にも……」

「そんなこと言っちゃ厭《いや》」彼女は急に私を遮《さえぎ》った。「そんなことを仰《おっ》しゃるのがあなたの気まぐれなの」

けれども私はそんな言葉にはまだ満足しないような様子を見せていた。彼女はそういう私の沈んだ様子をしばらくは唯《ただ》もじもじしながら見守っていたが、とうとう怺《こら》え切れなくなったとでも言うように言い出した。

「私が此処《ここ》でもって、こんなに満足しているのが、あなたにはおわかりにならないの？　どんなに体の悪いときでも、私は一度だって家へ帰りたいなんぞと思ったことはないわ。若《も》しあなたが私の側にいて下さらなかったら、私は本当にどうなっていたでしょう？……さっきだって、あなたがお留守の間、最初のうちはそれでもあなたのお帰りが遅《おそ》ければ遅いほど、お帰りになったときの悦《よろこ》びが余計になるばかりだと思って、痩我慢《やせがまん》していたんだけれど、――あなたがもうお帰りになると私の思い込《こ》んでいた時間をずうっと過ぎてもお帰りにならないので、しまいにはとても不安になって来たの。そうしたら、いつもあなたと一緒《いっしょ》にいるこの部屋までがなんだか見知らない部屋のような気がしてきて、こわくなって部屋の中から飛び出したくなった位だったわ。……でも、それから漸《や》っとあなたのいつか仰しゃったお言葉を考え出したら、すこうし気が落着いて来たの。あなたはいつか私にこう仰しゃったでしょう、――私達のいまの生活、ずっとあとになって思い出したらどんなに美しいだろうって……」

彼女はだんだん嗄《しゃが》れたような声になりながらそれを言い畢《お》えると、一種の微笑ともつかないようなもので口元を歪《ゆが》めながら、私をじっと見つめた。

彼女のそんな言葉を聞いているうちに、たまらぬほど胸が一ぱいになり出した私は、しかし、そういう自分の感動した様子を彼女に見られることを恐れでもするように、そっとバルコンに出て行った。そしてその上から、嘗《かつ》て私達の幸福をそこに完全に描《えが》き出したかとも思えたあの初夏の夕方のそれに似た――しかしそれとは全然異《ちが》った秋の午前の光、もっと冷たい、もっと深味のある光を帯びた、あたり一帯の風景を私はしみじみと見入りだしていた。あのときの幸福に似た、しかしもっともっと胸のしめつけられるような見知らない感動で自分が一ぱいになっているのを感じながら……

冬

一九三五年十月二十日

午後、いつものように病人を残して、私はサナトリウムを離れると、収穫《しゅうかく》に忙《いそが》しい農夫等の立ち働いている田畑の間を抜けながら、雑木林《ぞうきばやし》を越えて、その山の窪《くぼ》みにある人けの絶えた狭い村に下りた後、小さな谿流《けいりゅう》にかかった吊橋《つりばし》を渡って、その村の対岸にある栗《くり》の木の多い低い山へ攀《よ》じのぼり、その上方の斜面《しゃめん》に腰を下ろした。そこで私は何時間も、明るい、静かな気分で、これから手を着けようとしている物語の構想に耽《ふけ》っていた。ときおり私の足もとの方で、思い出したように、子供等が栗の木をゆすぶって一どきに栗の実を落す、その谿《たに》じゅうに響《ひび》きわたるような大きな音に愕《おどろ》かされながら……

そういう自分のまわりに見聞きされるすべてのものが、私達の生の果実もすでに熟《じゅく》していることを告げ、そしてそれを早く取り入れるようにと自分を促《うなが》しでもしているかのように感ずるのが、私は好きであった。

ようやく日が傾いて、早くもその谿の村が向うの雑木山の影《かげ》の中にすっかりはいってしまうのを認めると、私は徐《しず》かに立ち上って、山を下り、再び吊橋をわたって、あちらこちらに水車がごとごとと音を立てながら絶えず廻っている狭い村の中を何んということはなしに一まわりした後、八《やつ》ヶ《が》岳《たけ》の山麓《さんろく》一帯に拡《ひろ》がっている落葉松《からまつ》林の縁《へり》を、もうそろそろ病人がもじもじしながら自分の帰りを待っているだろうと考えながら、心もち足を早めてサナトリウムに戻《もど》るのだった。

十月二十三日

明け方近く、私は自分のすぐ身近でしたような気のする異様な物音に驚いて目を覚ました。そうしてしばらく耳をそば立てていたが、サナトリウム全体は死んだようにひっそりとしていた。それからなんだか目が冴《さ》えて、私はもう寝つかれなくなった。

小さな蛾《が》のこびりついている窓硝子《まどガラス》をとおして、私はぼんやりと暁《あかつき》の星がまだ二つ三つ幽《かす》かに光っているのを見つめていた。が、そのうちに私はそういう朝明けが何んとも云《い》えずに寂しいような気がして来て、そっと起き上ると、何をしようとしているのか自分でも分らないように、まだ暗い隣《とな》りの病室へ素足《すあし》のままではいって行った。そうしてベッドに近づきながら、節子の寝顔を屈《かが》み込むようにして見た。すると彼女は思いがけず、ぱっちりと目を見ひらいて、そんな私の方を見上げながら、

「どうなすったの？」と訝《いぶか》しそうに訊《き》いた。

私は何んでもないと云った目くばせをしながら、そのまま徐《しず》かに彼女の上に身を屈めて、いかにも怺《こら》え切れなくなったようにその顔へぴったりと自分の顔を押《お》しつけた。

「まあ、冷たいこと」彼女は目をつぶりながら、頭をすこし動かした。髪《かみ》の毛がかすかに匂《にお》った。そのまま私達はお互《たがい》のつく息を感じ合いながら、いつまでもそうしてじっと頰《ほお》ずりをしていた。

「あら、又《また》、栗が落ちた……」彼女は目を細目に明けて私を見ながら、そう囁《ささや》いた。

「ああ、あれは栗だったのかい。……あいつのお蔭《かげ》でおれはさっき目を覚ましてしまったのだ」

私は少し上《うわ》ずったような声でそう言いながら、そっと彼女を手放すと、いつの間にかだんだん明るくなり出した窓の方へ歩み寄って行った。そしてその窓に倚《よ》りかかって、いましがたどちらの目から滲《にじ》み出たのかも分らない熱いものが私の頰を伝うがままにさせながら、向うの山の背にいくつか雲の動かずにいるあたりが赤く濁《にご》ったような色あいを帯び出しているのを見入っていた。畑の方からはやっと物音が聞え出した。

……

「そんな事をしていらっしゃるとお風を引くわ」ベッドから彼女が小さな声で言った。

私は何か気軽い調子で返事をしてやりたいと思いながら、彼女の方をふり向いた。が、大きく瞬《みは》って気づかわしそうに私を見つめている彼女の目と見合わせると、そんな言葉は出されなかった。そうして無言のまま窓を離れて、自分の部屋に戻って行った。

それから数分立つと、病人は明け方にいつもする、抑《おさ》えかねたような劇《はげ》しい咳《せき》を出した。再び寝床《ねどこ》に潜《もぐ》りこみながら、私は何んともかとも云われないような不安な気持でそれを聞いていた。

十月二十七日

私はきょうもまた山や森で午後を過した。

一つの主題が、終日、私の考えを離れない。真の婚約《こんやく》の主題——二人の人間がその余りにも短い一生の間をどれだけお互に幸福にさせ合えるか？　抗《あらが》いがたい運命の前にしずかに頭を項低《うなだ》れたまま、互に心と心と、身と身とを温め合いながら、並《なら》んで立っている若い男女の姿、——そんな一組としての、寂《さび》しそうな、それでいて何処《どこ》か愉《たの》しくないこともない私達の姿が、はっきりと私の目の前に見えて来る。それを措《お》いて、いまの私に何が描けるだろうか？……

果てしのないような山麓《さんろく》をすっかり黄ばませながら傾《かたむ》いている落葉松《からまつ》林の縁を、夕方、私がいつものように足早に帰って来ると、丁度サナトリウムの裏になった雑木林のはずれに、斜《なな》めになった日を浴びて、髪をまぶしいほど光らせながら立っている一人《ひとり》の背の高い若い女が遠く認められた。私はちょっと立ち止まった。どうもそれは節子らしかった。しかしそんな場所に一人きりのようなのを見て、果して彼女かどうか分らなかったので、私はただ前よりも少し足を早めただけだった。が、だんだん近づいて見ると、それはやはり節子であった。

「どうしたんだい？」私は彼女の側《そば》に駈《か》けつけて、息をはずませながら訊いた。

「此処《ここ》であなたをお待ちしていたの」彼女は顔を少し赧《あか》くして笑いながら答えた。

「そんな乱暴な事をしても好《い》いのかなあ」私は彼女の顔を横から見た。

「一遍《いっぺん》くらいなら構わないわ。……それにきょうはとても気分が好いのですもの」つとめて快活な声を出してそう言いながら、彼女はなおもじっと私の帰って来た山麓の方を見ていた。「あなたのいらっしゃるのが、ずっと遠くから見えていたわ」

私は何も言わずに、彼女の側に並んで、同じ方角を見つめた。

彼女が再び快活そうに言った。「此処まで出ると、八ヶ岳がすっかり見えるのね」

「うん」と私は気のなさそうな返事をしたきりだったが、そのままそうやって彼女と肩《かた》を並べてその山を見つめているうちに、ふいと何んだか不思議に混《こ》んがらかったような気がして来た。

「こうやってお前とあの山を見ているのはきょうが始めてだったね。だが、おれにはどうもこれまでに何遍もこうやってあれを見ていた事があるような気がするんだよ」

「そんな筈《はず》はないじゃあないの？」

「いや、そうだ……おれはいま漸《や》っと気がついた……おれ達はね、ずっと前にこの山を丁度向う側から、こうやって一しょに見ていたことがあるのだ。いや、お前とそれを見ていた夏の時分はいつも雲に妨《さまた》げられて殆《ほとん》ど何も見えやしなかったのさ。……しかし秋になってから、一人でおれが其処《そこ》へ行ってみたら、ずっと向うの地平線の果てに、この山が今とは反対の側から見えたのだ。あの遠くに見えた、どこの山だかちっとも知らずにいたのが、確かにこれらしい。丁度そんな方角になりそうだ。……お前、あの薄《すすき》がたんと生《お》い茂《しげ》っていた原を覚えているだろう？」

「ええ」

「だが実に妙《みょう》だなあ。いま、あの山の麓《ふもと》にこうしてこれまで何も気がつかずにお前と暮《く》らしていたなんて……」丁度二年前の、秋の最後の日、一面に生い茂った薄の間からはじめて地平線の上にくっきりと見出《みいだ》したこの山々を遠くから眺《なが》めながら、殆ど悲しいくらいの幸福な感じをもって、二人はいつかはきっと一緒になれるだろうと夢見《ゆめみ》ていた自分自身の姿が、いかにも懐《なつ》かしく、私の目に鮮《あざや》かに浮《うか》んで来た。

私達は沈黙《ちんもく》に落ちた。その上空を渡り鳥の群れらしいのが音もなくすうっと横切って行く、その並《な》み重った山々を眺めながら、私達はそんな最初の日々のような慕《した》わしい気持で、肩を押しつけ合ったまま、佇《たたず》んでいた。そうして私達の影がだんだん長くなりながら草の上を這《は》うがままにさせていた。

やがて風が少し出たと見えて、私達の背後の雑木林《ぞうきばやし》が急にざわめき立った。私は「もうそろそろ帰ろう」と不意と思い出したように彼女《かのじょ》に言った。

私達は絶えず落葉のしている雑木林の中へはいって行った。私はときどき立ち止まって、彼女を少し先きに歩かせた。二年前の夏、ただ彼女をよく見たいばかりに、わざと私の二三歩先きに彼女を歩かせながら森の中などを散歩した頃のさまざまな小さな思い出が、心臓をしめつけられる位に、私の裡《うち》に一ぱいに溢《あふ》れて来た。

十一月二日

夜、一つの明りが私達を近づけ合っている。その明りの下で、ものを言い合わないことにも馴《な》れて、私がせっせと私達の生の幸福を主題にした物語を書き続けていると、その笠《かさ》の蔭になった、薄暗《うすぐら》いベッドの中に、節子は其処《そこ》にいるのだかいないのだか分らないほど、物静かに寝ている。ときどき私がそっちへ顔を上げると、さっきからじっと私を見つめつづけていたかのように私を見つめていることがある。「こうやってあなたのお側にいさえすれば、私はそれで好いの」と私にさも言いたくってたまらないでいるような、愛情を籠《こ》めた目つきである。ああ、それがどんなに今の私に自分達の所有している幸福を信じさせ、そしてこうやってそれにはっきりした形を与《あた》えることに努力している私を助けていてくれることか！

十一月十日

冬になる。空は拡がり、山々はいよいよ近くなる。その山々の上方だけ、雪雲らしいのがいつまでも動かずにじっとしているようなことがある。そんな朝には山から雪に追われて来るのか、バルコンの上までがいつもはあんまり見かけたことのない小鳥で一ぱいになる。そんな雪雲の消え去ったあとは、一日ぐらいその山々の上方だけが薄白くなっていることがある。そしてこの頃《ごろ》はそんないくつかの山の頂きにはそういう雪がそのまま目立つほど残っているようになった。

私は数年前、屢々《しばしば》、こういう冬の淋《さび》しい山岳《さんがく》地方で、可愛《かわい》らしい娘《むすめ》と二人きりで、世間から全く隔《へだ》って、お互がせつなく思うほどに愛し合いながら暮《く》らすことを好んで夢みていた頃のことを思い出す。私は自分の小さい時から失わずにいる甘美な人生へのかぎりない夢を、そういう人のこわがるような苛酷《かこく》なくらいの自然の中に、それをそっくりそのまま少しも害《そこな》わずに生かしてみたかったのだ。そしてそのためにはどうしてもこういう本当の冬、淋しい山岳地方のそれでなければいけなかったのだ……

――夜の明けかかる頃、私はまだその少し病身な娘の眠《ねむ》っている間にそっと起きて、山小屋から雪の中へ元気よく飛び出して行く。あたりの山々は、曙《あけぼの》の光を浴びながら、薔薇《ばら》色《いろ》に赫《かがや》いている。私は隣りの農家からしぼり立ての山羊《やぎ》の乳を貰《もら》って、すっかり凍《こご》えそうになりながら戻ってくる。それから自分で煖炉《だんろ》に焚木《たきぎ》をくべる。やがてそれがぱちぱちと活潑《かっぱつ》な音を立てて燃え出し、その音で漸《や》っとその娘が目を覚ます時分には、もう私はかじかんだ手をして、しかし、さも愉しそうに、いま自分達がそうやって暮している山の生活をそっくりそのまま書き取っている……

今朝、私はそういう自分の数年前の夢を思い出し、そんな何処《どこ》にだってありそうもない版画《はんが》じみた冬景色を目のあたりに浮《う》べながら、その丸木造りの小屋の中のさまざまな家具の位置を換《か》えたり、それに就《つ》いて私自身と相談し合ったりしていた。それから遂《つい》にそんな背景はばらばらになり、ぼやけて消えて行きながら、ただ私の目の前には、その夢からそれだけが現実にはみ出しでもしたように、ほんの少しばかり雪の積った山々と、裸《はだか》になった木立と、冷たい空気とだけが残っていた。……

一人で先きに食事をすませてしまってから、窓ぎわに椅子《いす》をずらしてそんな思い出に耽《ふけ》っていた私は、そのとき急に、いまやっと食事を了《お》え、そのままベッドの上に起きながら、なんとなく疲《つか》れを帯びたようなぼんやりした目つきで山の方を見つめている節子の方をふり向いて、その髪の毛の少しほつれている窶《やつ》れたような顔をいつになく痛々しげに見つめ出した。

「このおれの夢がこんなところまでお前を連れて来たようなものなのだろうかしら？」と私は何か悔《く》いに近いような気持で一ぱいになりながら、口には出さずに、病人に向って話しかけた。

「それだというのに、この頃のおれは自分の仕事にばかり心を奪《うば》われている。そうしてこんな風にお前の側にいる時だって、おれは現在のお前の事なんぞちっとも考えてやりはしないのだ。それでいて、おれは仕事をしながらお前のことをもっともっと考えているのだと、お前にも、それから自分自身にも言って聞かせてある。そうしておれはいつのまにか好い気になって、お前の事よりも、おれの詰《つ》まらない夢なんぞにこんなに時間を潰《つぶ》し出しているのだ……」

そんな私のもの言いたげな目つきに気がついたのか、病人はベッドの上から、にっこりともしないで、真面目《まじめ》に私の方を見かえしていた。この頃いつのまにか、そんな具合《ぐあい》に、前よりかずっと長い間、もっともっとお互を締《し》めつけ合うように目と目を見合わせているのが、私達の習慣になっていた。

十一月十七日

私はもう二三日すれば私のノオトを書き了《お》えられるだろう。それは私達自身のこうした生活に就いて書いていれば切りがあるまい。それをともかくも一応書き了えるためには、私は何か結末を与えなければならないのだろうが、今もなおこうして私達の生き続けている生活にはどんな結末だって与えたくはない。いや、与えられはしないだろう。寧《むし》ろ、私達のこうした現在のあるがままの姿でそれを終らせるのが一番好いだろう。

現在のあるがままの姿？……私はいま何かの物語で読んだ「幸福の思い出ほど幸福を妨《さまた》げるものはない」という言葉を思い出している。現在、私達の互に与え合っているものは、嘗《かつ》て私達の互に与え合っていた幸福とはまあ何んと異《ちが》ったものになって来ているだろう！　それはそう云《い》った幸福に似た、しかしそれとはかなり異った、もっともっと胸がしめつけられるように切ないものだ。こういう本当の姿がまだ私達の生の表面にも完全に現われて来ていないものを、このまま私はすぐ追いつめて行って、果してそれに私達の幸福の物語に相応《ふさわ》しいような結末を見出せるであろうか？　なぜだか分らないけれど、私がまだはっきりさせることの出来ずにいる私達の生の側面には、何んとなく私達のそんな幸福に敵意をもっているようなものが潜《ひそ》んでいるような気もしてならない。……

そんなことを私は何か落着かない気持で考えながら、明りを消して、もう寝入っている病人の側を通り抜《ぬ》けようとして、ふと立ち止まって暗がりの中にそれだけがほの白く浮いている彼女の寝顔をじっと見守った。その少し落ち窪《くぼ》んだ目のまわりがときどきぴくぴくと痙攣《ひっつ》れるようだったが、私にはそれが何物かに脅《おびや》かされてでもいるように見えてならなかった。私自身の云いようもない不安がそれを唯《ただ》そんな風に感じさせるに過ぎないであろうか？

十一月二十日

私はこれまで書いて来たノオトをすっかり読みかえしてみた。私の意図したところは、これならまあどうやら自分を満足させる程度には書けているように思えた。

が、それとは別に、私はそれを読み続けている自分自身の裡《うち》に、その物語の主題をなしている私達自身の「幸福」をもう完全には味わえそうもなくなっている、本当に思いがけない不安そうな私の姿を見出しはじめていた。そうして私の考えはいつかその物語そのものを離《はな》れ出していた。「この物語の中のおれ達はおれ達に許されるだけのささやかな生の愉《たの》しみを味わいながら、それだけで独自《ユニイク》にお互《たがい》を幸福にさせ合えると信じていられた。少くともそれだけで、おれはおれの心を縛《しば》りつけていられるものと思っていた。――が、おれ達はあんまり高く狙《ねら》い過ぎていたのであろうか？　そうして、おれはおれの生の欲求を少し許り《ばか》見くびり過ぎていたのであろうか？　そのために今、おれの心の縛《いましめ》がこんなにも引きちぎられそうになっているのだろうか？……」

「可哀《かわい》そうな節子……」と私は机にほうり出したノオトをそのまま片づけようともしないで、考え続けていた。「こいつはおれ自身が気づかぬようなふりをしていたそんなおれの生の欲求を沈黙《ちんもく》の中に見抜いて、それに同情を寄せているように見えてならない。そしてそれが又《また》こうしておれを苦しめ出しているのだ。……おれはどうしてこんなおれの姿をこいつに隠《かく》し了《おお》せることが出来なかったのだろう？　何んておれは弱いのだろうなあ……」

私は、明りの蔭《かげ》になったベッドにさっきから目を半ばつぶっている病人に目を移すと、殆《ほとん》ど息づまるような気がした。私は明りの側《そば》を離れて、徐《しず》かにバルコンの方へ近づいて行った。小さな月のある晩だった。それは雲のかかった山だの、丘《おか》だの、森などの輪廓《りんかく》をかすかにそれと見分けさせているきりだった。そしてその他の部分は殆どすべて鈍《にぶ》い青味を帯びた闇《やみ》の中に溶《と》け入っていた。しかし私の見ていたものはそれ等のものではなかった。私は、いつかの初夏の夕暮《ゆうぐれ》に二人で切ないほどな同情をもって、そのまま私達の幸福を最後まで持って行けそうな気がしながら眺め合っていた、まだその何物も消え失せていない思い出の中の、それ等の山や丘や森などをまざまざと心に蘇《よみがえ》らせていたのだった。そして私達自身までがその一部になり切ってしまっていたようなそういう一瞬時の風景を、こんな具合にこれまでも何遍《なんべん》となく蘇らせたので、それ等のものもいつのまにか私達の存在の一部になり、そしてもはや季節と共に変化してゆくそれ等のものの、現在の姿が時とすると私達には殆ど見えないものになってしまう位であった。……

「あのような幸福な瞬間をおれ達が持てたということは、それだけでももうおれ達がこうして共に生きるのに値したのであろうか？」と私は自分自身に問いかけていた。

私の背後にふと軽い足音がした。それは節子にちがいなかった。が、私はふり向こうともせずに、そのままじっとしていた。彼女もまた何も言わずに、私から少し離れたまま立っていた。しかし、私はその息づかいが感ぜられるほど彼女を近ぢかと感じていた。ときおり冷たい風がバルコンの上をなんの音も立てずに掠《かす》め過ぎた。何処《どこ》か遠くの方で枯木《かれき》が音を引きむしられていた。

「何を考えているの？」とうとう彼女が口を切った。

私はそれにはすぐ返事をしないでいた。それから急に彼女の方へふり向いて、不確かなように笑いながら、

「お前には分っているだろう？」と問い返した。

彼女は何か罠《わな》でも恐《おそ》れるかのように注意深く私を見た。それを見て、私は、

「おれの仕事のことを考えているのじゃないか」とゆっくり言い出した。「おれにはどうしても好い結末が思い浮ばないのだ。おれはおれ達が無駄《むだ》に生きていたようにはそれを終らせたくはないのだ。どうだ、一つお前もそれをおれと一しょに考えてくれないか？」

彼女は私に微笑《ほほえ》んで見せた。しかし、その微笑みはどこかまだ不安そうであった。

「だってどんな事をお書きになったんだかも知らないじゃないの」彼女は漸《や》っと小声で言った。

「そうだっけなあ」と私はもう一度不確かなように笑いながら言った。「それじゃあ、そのうちに一つお前にも読んで聞かせるかな。しかしまだ、最初の方だって人に読んで聞かせるほど纏《まと》まっちゃいないんだからね」

私達は部屋の中へ戻《もど》った。私が再び明りの側に腰《こし》を下ろして、其処《そこ》にほうり出してあるノオトをもう一度手に取り上げて見ていると、彼女はそんな私の背後に立ったまま、私の肩《かた》にそっと手をかけながら、それを肩越しに覗《のぞ》き込《こ》むようにしていた。私はいきなりふり向いて、

「お前はもう寝た方がいいぜ」と乾《かわ》いた声で言った。

「ええ」彼女は素直《すなお》に返事をして、私の肩から手を少しためらいながら放すと、ベッドに戻って行った。

「なんだか寝られそうもないわ」二三分すると彼女がベッドの中で独《ひと》り言《ごと》のように言った。

「じゃ、明りを消してやろうか？……おれはもういいのだ」そう言いながら、私は明りを消して立ち上ると、彼女の枕《まくら》もとに近づいた。そうしてベッドの縁に腰をかけながら、彼女の手を取った。私達はしばらくそうしたまま、暗《やみ》の中に黙《だま》り合っていた。

さっきより風がだいぶ強くなったと見える。それはあちこちの森から絶えず音を引

き捥《も》いでいた。そしてときどきそれをサナトリウムの建物にぶっつけ、どこかの窓をばたばた鳴らしながら、一番最後に私達の部屋の窓を少しきしらせた。それに怯《おび》えでもしているかのように、彼女はいつまでも私の手をはなさないでいた。そうして目をつぶったまま、自分の裡《うち》の何かの作用《はたらき》に一心になろうとしているように見えた。そのうちにその手が少し緩《ゆる》んできた。彼女は寝入ったふりをし出したらしかった。
「さあ、今度はおれの番か……」そんなことを呟《つぶや》きながら、私も彼女と同じように寝られそうもない自分を寝つかせに、自分の真っ暗な部屋の中へはいって行った。

十二月二十六日

この頃、私はよく夜の明けかかる時分に目を覚ます。そんなときは、私は屢々《しばしば》そっと起き上って、病人の寝顔《ねがお》をしげしげと見つめている。ベッドの縁や壜《びん》などはだんだん黄ばみかけて来ているのに、彼女の顔だけがいつまでも蒼白《あおじろ》い。「可哀そうな奴《やつ》だなあ」それが私の口癖《くちぐせ》にでもなったかのように自分でも知らずにそう言っているようなこともある。

けさも明け方近くに目を覚ました私は、長い間そんな病人の寝顔を見つめてから、爪先《つまさ》き立って部屋を抜け出し、サナトリウムの裏の、裸過ぎる位に枯れ切った林の中へはいって行った。もうどの木にも死んだ葉が二つ三つ残って、それが風に抗《あらが》ってい るきりだった。私がその空虚な林を出はずれた頃には、八ヶ岳《やつがたけ》の山頂を離れたばかりの日が、南から西にかけて立ち並《なら》んでいる山々の上に低く垂れたまま動こうともしないでいる雲の塊《かたま》りを、見るまに赤あかと赫《かがや》かせはじめていた。が、そういう曙《あけぼの》の光も地上にはまだなかなか届きそうになかった。それらの山々の間に挟《はさ》まれている冬枯れた森や畑や荒地《あれち》は、今、すべてのものから全く打ち棄《す》てられてでもいるような様子を見せていた。

私はその枯木林のはずれに、ときどき立ち止まっては寒さに思わず足踏《あしぶ》みしながら、そこいらを歩き廻《まわ》っていた。そうして何を考えていたのだか自分でも思い出せないような考えをとつおいつしていた私は、そのうち不意に頭を上げて、空がいつのまにか赫きを失った暗い雲にすっかり鎖《とざ》されているのを認めた。私はそれに気がつくと、ついさっきまでそれをあんなにも美しく焼いていた曙の光が地上に届くのをそれまで心待ちにしてでもいたかのように、急になんだか詰まらなそうな恰好《かっこう》をして、足早にサナトリウムに引返して行った。

節子はもう目を覚ましていた。しかし立ち戻った私を認めても、私の方へは物憂《ものう》げにちらっと目を上げたきりだった。そしてさっき寝ていたときよりも一層蒼いような顔色をしていた。私が枕もとに近づいて、髪《かみ》をいじりながら額に接吻《せっぷん》しようとすると、彼女《かのじょ》は弱々しく首を振《ふ》った。私はなんにも訊《き》かずに、悲しそうに彼女を見ていた。が、彼女はそんな私をと云《い》うよりも、寧《むし》ろ、そんな私の悲しみを見まいとするかのように、ぼんやりした目つきで空《くう》を見入っていた。

夜

何も知らずにいたのは私だけだったのだ。午前の診察《しんさつ》の済んだ後で、私は看護婦長に廊下《ろうか》へ呼び出された。そして私ははじめて節子がけさ私の知らない間に少量の喀血《かっけつ》をしたことを聞かされた。彼女は私にはそれを黙っていたのだ。喀血は危険と云う程度ではないが、用心のためにしばらく附添《つきそい》看護婦をつけて置くようにと、院長が言い付けて行ったというのだ。——私はそれに同意するほかはなかった。

私は丁度空いている隣《とな》りの病室に、その間だけ引き移っていることにした。私はいま、二人で住んでいた部屋に何処《どこ》から何処まで似た、それでいて全然見知らないような感じのする部屋の中に、一人《ひとり》ぼっちで、この日記をつけている。こうして私が数時間前から坐《すわ》っているのに、どうもまだこの部屋は空虚のようだ。此処《ここ》にはまるで誰《だれ》もいないかのように、明りさえも冷たく光っている。

十一月二十八日

私は殆《ほとん》ど出来上っている仕事のノオトを、机の上に、少しも手をつけようとはせずに、ほうり出したままにして置いてある。それを仕上げるためにも、しばらく別々に暮《く》らした方がいいのだと云うことを病人には云い含《ふく》めて置いたのだ。が、どうしてそれに描いたような私達のあんなに幸福そうだった状態に、今のようなこんな不安な気持のまま、私一人ではいって行くことが出来ようか？

私は毎日、二三時間隔《お》きぐらいに、隣りの病室に行き、病人の枕もとにしばらく坐っている。しかし病人に喋舌《しゃべ》らせることは一番好《よ》くないので、殆んどものを言わずにいることが多い。看護婦のいない時にも、二人で黙って手を取り合って、お互になるたけ目も合わせないようにしている。

が、どうかして私達がふいと目を見合わせるようなことがあると、彼女はまるで私達の最初の日々に見せたような、一寸《ちょっと》気まりの悪そうな微笑み方を私にして見せる。が、すぐ目を反《そ》らせて、空《くう》を見ながら、そんな状態に置かれていることに少しも不平を見せずに、落着いて寝ている。彼女は一度私に仕事は捗《はかど》っているのかと訊いた。私は首を振った。そのとき彼女は私を気の毒がるような見方をして見た。が、それきりもう私にそんなことは訊かなくなった。そして一日は、他《ほか》の日に似て、まるで何事もないかのように物静かに過ぎる。

そして彼女は私が代って彼女の父に手紙を出すことさえ拒《こば》んでいる。

夜、私は遅《おそ》くまで何もしないで机に向ったまま、バルコンの上に落ちている明りの影《かげ》が窓を離れるにつれてだんだん幽《かす》かになりながら、暗《やみ》に四方から包まれているのを、あたかも自分の心の裡《うち》さながらのような気がしながら、ぼんやりと見入っている。ひょっとしたら病人もまだ寝つかれずに、私のことを考えているかも知れないと思いながら……

十二月一日

この頃になって、どうしたのか、私の明りを慕《した》ってくる蛾《が》がまた殖《ふ》え出したようだ。

夜、そんな蛾がどこからともなく飛んで来て、閉《し》め切った窓硝子《まどガラス》にはげしくぶつかり、その打撃《だげき》で自ら傷つきながら、なおも生を求めてやまないように、死に身になって硝子に孔《あな》をあけようと試みている。私がそれをうるさがって、明りを消してベッドにはいってしまっても、まだしばらく物狂《ものぐる》わしい羽搏《はばた》きをしているが、次第《しだい》にそれが衰《おとろ》え、ついに何処かにしがみついたきりになる。そんな翌朝、私はかならずその窓の下に、一枚の朽《く》ち葉《ば》みたいになった蛾の死骸《しがい》を見つける。

今夜もそんな蛾が一匹《いっぴき》、とうとう部屋の中へ飛び込んで来て、私の向っている明りのまわりをさっきから物狂わしくくるくると廻っている。やがてばさりと音を立てて私の紙の上に落ちる。そしていつまでもそのまま動かずにいる。それからまた自分の生きていることを漸《や》っと思い出したように、急に飛び立つ。自分でももう何をしているのだか分らずにいるのだとしか見えない。やがてまた、私の紙の上にばさりと音を立てて落ちる。

私は異様な怖《おそ》れからその蛾を逐《お》いのけようともしないで、かえってさも無関心そうに、自分の紙の上でそれが死ぬままにさせて置く。

十二月五日

夕方、私達は二人きりでいた。附添看護婦はいましがた食事に行った。冬の日は既《すで》に西方の山の背にはいりかけていた。そしてその傾《かたむ》いた日ざしが、だんだん底冷えのしだした部屋の中を急に明るくさせ出した。私は病人の枕もとで、ヒイタアに足を載《の》

せながら、手にした本の上に身を屈《かが》めていた。そのとき病人が不意に、

「あら、お父様《とうさま》」とかすかに叫《さけ》んだ。

私は思わずぎくりとしながら彼女の方へ顔を上げた。私は彼女の目がいつになく赫《かがや》いているのを認めた。――しかし私はさりげなさそうに、今の小さな叫びが耳にはいらなかったらしい様子をしながら、

「いま何か言ったかい?」と訊《き》いて見た。

彼女はしばらく返事をしないでいた。が、その目は一層赫き出しそうに見えた。

「あの低い山の左の端《はし》に、すこうし日のあたった所があるでしょう?」彼女はやっと思い切ったようにベッドから手でその方をちょっと指して、それから何んだか言いにくそうな言葉を無理にそこから引出しでもするように、その指先きを今度は自分の口へあてがいながら、

「あそこにお父様の横顔にそっくりな影が、いま時分になると、いつも出来るのよ。……ほら、丁度いま出来ているのが分らない?」

その低い山が彼女の言っている山であるらしいのは、その指先きを辿《たど》りながら私にもすぐ分ったが、唯《ただ》そこいらへんには斜《なな》めな日の光がくっきりと浮《う》き立たせている山襞《やまひだ》しか私には認められなかった。

「もう消えて行くわ……ああ、まだ額のところだけ残っている……」

そのとき漸っと私はその父の額らしい山襞を認めることが出来た。それは父のがっしりとした額を私にも思い出させた。「こんな影にまで、こいつは心の裡《うち》で父を求めていたのだろうか？　ああ、こいつはまだ全身で父を感じている、父を呼んでいる……」

が、一瞬間《いっしゅんかん》の後には、暗《やみ》がその低い山をすっかり満たしてしまった。そしてすべての影は消えてしまった。

「お前、家へ帰りたいのだろう？」私はついと心に浮かんだ最初の言葉を思わずも口に出した。

そのあとですぐ私は不安そうに節子の目を求めた。彼女は殆どすげないような目つきで私を見つめ返していたが、急にその目を反らせながら、

「ええ、なんだか帰りたくなっちゃったわ」と聞えるか聞えない位な、かすれた声で言った。

私は脣《くちびる》を嚙《か》んだまま、目立たないようにベッドの側《そば》を離れて、窓ぎわの方へ歩み寄った。

私の背後で彼女が少し顫《ふる》え声で言った。「御免《ごめん》なさいね。……だけど、いま一寸《ちょっと》の

間だけだわ。……こんな気持、じきに直るわ……」

私は窓のところに両手を組んだまま、言葉もなく立っていた。山々の麓《ふもと》にはもう暗《やみ》が塊《かた》まっていた。しかし山頂にはまだ幽《かす》かに光が漂《ただよ》っていた。突然咽《とつぜんのど》をしめつけられるような恐怖《きょうふ》が私を襲《おそ》ってきた。私はいきなり病人の方をふり向いた。彼女は両手で顔を押《お》さえていた。急に何もかもが自分達から失われて行ってしまいそうな、不安な気持で一ぱいになりながら、私はベッドに駈《か》けよって、その手を彼女の顔から無理に除《の》けた。彼女は私に抗《あらが》おうとしなかった。

高いほどな額、もう静かな光さえ見せている目、引きしまった口もと、――何一ついつもと少しも変っていず、いつもよりかもっともっと犯《おか》し難《がた》いように私には思われた。……そうして私は何んでもないのにそんなに怯《おび》え切っている私自身を反《かえ》って子供のように感ぜずにはいられなかった。私はそれから急に力が抜《ぬ》けてしまったようになって、がっくりと膝《ひざ》を突《つ》いて、ベッドの縁に顔を埋《うず》めた。そうしてそのままいつまでもぴったりとそれに顔を押しつけていた。病人の手が私の髪の毛を軽く撫《な》でているのを感じ出しながら……

部屋の中までもう薄暗《うすぐら》くなっていた。

死のかげの谷

一九三六年十二月一日　K…村にて

殆ど三年半ぶりで見るこの村は、もうすっかり雪に埋まっていた。一週間ばかりも前から雪がふりつづいていて、けさ漸《や》っとそれが歇《や》んだのだそうだ。炊事《すいじ》の世話を頼《たの》んだ村の若い娘《むすめ》とその弟が、その男の子のらしい小さな橇《そり》に私の荷物を載《の》せて、これからこの冬を其処《そこ》で私の過ごそうという山小屋まで、引き上げて行ってくれた。その橇のあとに附《つ》いてゆきながら、途中《とちゅう》で何度も私は滑《すべ》りそうになった。それほどもう谷かげの雪はこちこちに凍《し》みついてしまっていた。……

私の借りた小屋は、その村からすこし北へはいった、或《あ》る小さな谷にあって、そこいらにも古くから外人たちの別荘《べっそう》があちこちに立っている、――なんでもそれらの別荘の一番はずれになっている筈《はず》だった。其処に夏を過ごしに来る外人たちがこの谷を称して幸福の谷と云《い》っているとか。こんな人けの絶えた、淋《さび》しい谷の、一体どこが幸福の谷なのだろう、と私は今はどれもこれも雪に埋もれたまんま見棄《みす》てられているそう云う別荘を一つ一つ見過ごしながら、その谷を二人のあとから遅《おく》れがちに登って行くうちに、ふいとそれとは正反対の谷の名前さえ自分の口を衝《つ》いて出そうになった。私はそれを何かためらいでもするようにちょっと引っ込めかけたが、再び気を変えてとうとう口に出した。死のかげの谷。……そう、よっぽどそう云った方がこの谷には似合いそうだな、少くともこんな冬のさなか、こういうところで寂《さび》しい鰥暮《やもめぐ》らしをしようとしているおれにとっては。——と、そんな事を考え考え、漸っと私の借りる一番最後の小屋の前まで辿《たど》り着いてみると、申しわけのように小さなヴェランダの附いた、その木皮葺《ぶ》きの小屋のまわりには、それを取囲んだ雪の上になんだか得体の知れない足跡《あしあと》が一ぱい残っている。姉娘がその締《し》め切られた小屋の中へ先きにはいって雨戸などを明けている間、私はその小さな弟からこれは兎《うさぎ》これは栗鼠《りす》、それからこれは雉子《きじ》と、それらの異様な足跡を一々教えて貰《もら》っていた。

それから私は、半ば雪に埋もれたヴェランダに立って、周囲を眺《なが》めまわした。私達がいま上って来た谷陰は、そこから見下ろすと、いかにも恰好《かっこう》のよい小ぢんまりとした谷の一部分になっている。ああ、いましがた例の橇に乗って一人だけ先きに帰っていった、あの小さな弟の姿が、裸《はだか》の木と木との間から見え隠《かく》れしている。その可哀《かわい》らしい姿がとうとう下方の枯木林の中に消えてしまうまで見送りながら、一わたりその谷間を見畢《みおわ》った時分、どうやら小屋の中も片づいたらしいので、私ははじめてその中にはいって行った。壁《かべ》まですっかり杉《すぎ》皮が張りつめられてあって、天井《てんじょう》も何もない程《ほど》の、思ったよりも粗末《そまつ》な作りだが、悪い感じではなかった。すぐ二階にも上って見たが、寝台《しんだい》から椅子《いす》と何から何まで二人分ある。丁度お前と私とのためのように。――そう云えば、本当にこう云ったような山小屋で、お前と差し向いの寂しさで暮らすことを、昔《むかし》の私はどんなに夢《ゆめ》見ていたことか！……

夕方、食事の支度《したく》が出来ると、私はそのまますぐ村の娘を帰らせた。それから私は一人《ひとり》で煖炉《だんろ》の傍《そば》に大きな卓子《テエブル》を引き寄せて、その上で書きものから食事一切をすることに極《き》めた。その時ひょいと頭の上に掛《か》かっている暦《こよみ》がいまだに九月のままになっているのに気がついて、それを立ち上がって剝《は》がすと、きょうの日附のところに印《しるし》をつけて置いてから、さて、私は実に一年ぶりでこの手帳を開いた。

十二月二日

どこか北の方の山がしきりに吹雪《ふぶ》いているらしい。きのうなどは手に取るように見えていた浅間山も、きょうはすっかり雪雲に掩《おお》われ、その奥《おく》でさかんに荒《あ》れていると見え、この山麓《さんろく》の村までその巻添《まきぞ》えを食らって、ときどき日が明るく射《さ》しながら、ちらちらと絶えず雪が舞《ま》っている。どうかして不意にそんな雪の端が谷の上にかかりでもすると、その谷を隔てて、ずっと南に連った山々のあたりにはくっきりと青空が見えながら、谷全体が翳《かげ》って、ひとしきり猛烈《もうれつ》に吹雪く。と思うと、又《また》ぱあっと日があたっている。……

そんな谷の絶えず変化する光景を窓のところに行ってちょっと眺めやっては、又すぐ煖炉の傍に戻って来たりして、そのせいでか、私はなんとなく落着かない気持で一日じゅうを過ごした。

昼頃《ひるごろ》、風呂敷包《ふろしきづつみ》を背負った村の娘が足袋跣《たびはだ》しで雪の中をやって来てくれた。手から顔まで霜焼《しもや》けのしているような娘だが、素直《すなお》そうで、それに無口なのが何よりも私には工合《ぐあい》が好い。又きのうのように食事の用意だけさせて置いて、すぐに帰らせた。それから私はもう一日が終ってしまったかのように、煖炉の傍から離《はな》れないで、何もせずにぼんやりと、焚木《たきぎ》がひとりでに起る風に煽《あお》られつつぱちぱちと音を立てながら燃えるのを見守っていた。

そのまま夜になった。一人で冷めたい食事をすませてしまうと、私の気持もいくぶん落着いてきた。雪は大した事にならずに止《や》んだようだが、そのかわり風が出はじめていた。火が少しでも衰《おとろ》えて音をしずめると、その隙々《すきすき》に、谷の外側でそんな風が枯木林から音を引き捥《も》いでいるらしいのが急に近ぢかと聞えて来たりした。

それから一時間ばかり後、私は馴《な》れない火にすこし逆上《のぼ》せたようになって、外気にあたりに小屋を出た。そうしてしばらく真っ暗な戸外を歩き廻《まわ》っていたが、やっと顔が冷え冷えとしてきたので、再び小屋にはいろうとしかけながら、その時はじめて中から洩《も》れてくる明りで、いまもなお絶えず細かい雪が舞っているのに気がついた。私は小屋にはいると、すこし濡《ぬ》れた体を乾《かわ》かしに、再び火の傍に寄って行った。が、そうやって又火にあたっているうちに、いつしか体を乾かしている事も忘れたようにぼんやりとして、自分の裡《うち》に或る追憶《ついおく》を蘇《よみがえ》らせていた。それは去年のいま頃、私達のいた山のサナトリウムのまわりに、丁度今夜のような雪の舞っている夜ふけのことだった。私は何度もそのサナトリウムの入口に立っては、電報で呼び寄せたお前の父の来るのを待ち切れなさそうにしていた。やっと真夜中近くになって父は着いた。しかしお前はそういう父をちらりと見ながら、脣《くちびる》のまわりにふと微笑ともつかないようなものを漂《ただよ》わせたきりだった。父は何も云わずにそんなお前の憔悴《しょうすい》し切った顔をじっと見守っていた。そうしてはときおり私の方へいかにも不安そうな目を向けた。が、私はそれには気がつかないようなふりをして、唯《ただ》、お前の方ばかりを見るともなしに見やっていた。そのうちに突然お前が何か口ごもったような気がしたので、私がお前の傍に寄ってゆくと、殆《ほとん》ど聞えるか聞えない位の小さな声で、「あなたの髪《かみ》に雪がついているの……」とお前は私に向って云った。――いま、こうやって一人きりで火の傍にうずくまりながら、ふいと蘇ったそんな思い出に誘《さそ》われるようにして、私が何んの気なしに自分の手を頭髪に持っていって見ると、それはまだ濡れるともなく濡れていて、冷めたかった。私はそうやって見るまで、それには少しも気がつかずにいた。……

十二月五日

この数日、云いようもないほどよい天気だ。朝のうちはヴェランダ一ぱいに日が射し込んでいて、風もなく、とても温かだ。けさなどはとうとうそのヴェランダに小さな卓《たく》や椅子を持ち出して、まだ一面に雪に埋もれた谷を前にしながら、朝食をはじめた位だ。本当にこうして一人っきりでいるのはなんだか勿体《もったい》ないようだ、と思いながら朝食に向っているうち、ひょいとすぐ目の前の枯れた灌木《かんぼく》の根もとへ目をやると、いつのまにか雉子《きじ》が来ている。それも二羽、雪の中に餌《え》をあさりながら、ごそごそと歩きまわっている……

「おい、来て御覧《ごらん》、雉子が来ているぞ」

私はあたかもお前が小屋の中に居でもするかのように想像して、声を低めてそう一人ごちながら、じっと息をつめてその雉子を見守っていた。お前がうっかり足音でも立てはしまいかと、それまで気づかいながら……

その途端《とたん》、どこかの小屋で、屋根の雪がどおっと谷じゅうに響《ひび》きわたるような音を立てながら雪崩《なだ》れ落ちた。私は思わずどきりとしながら、まるで自分の足もとからのように二羽の雉子が飛び立ってゆくのを呆気《あっけ》にとられて見ていた。そのとき殆ど同時に、私は自分のすぐ傍に立ったまま、お前がそういう時の癖《くせ》で、何も言わずに、ただ大きく目を瞠《みは》りながら私をじっと見つめているのを、苦しいほどまざまざと感じた。

午後、私ははじめて谷の小屋を下りて、雪の中に埋まった村を一周《ひとまわ》りした。夏から秋にかけてしかこの村を知っていない私には、いま一様に雪をかぶっている森だの、道だの、釘《くぎ》づけになった小屋だのが、どれもこれも見覚えがありそうでいて、どうしてもその以前の姿を思い出されなかった。昔、私が好んで歩きまわった水車の道に沿って、いつか私の知らない間に、小さなカトリック教会さえ出来ていた。しかもその美しい素木《しらき》造りの教会は、その雪をかぶった尖《とが》った屋根の下から、すでにもう黒ずみかけた壁板すらも見せていた。それが一層そのあたり一帯を私に何か見知らないように思わせ出した。それから私はよくお前と連れ立って歩いたことのある森の中へも、まだかなり深い雪を分けながらはいって行ってみた。やがて私は、どうやら見覚えのあるような気のする一本の樅《もみ》の木を認め出した。が、漸《や》っとそれに近づいてみたら、その樅の中からギャッと鋭《するど》い鳥の啼《な》き声がした。私がその前に立ち止まると、一羽の、ついぞ見かけたこともないような、青味を帯びた鳥がちょっと愕《おどろ》いたように羽搏《はばた》いて飛び立ったが、すぐ他《ほか》の枝に移ったままかえって私に挑《いど》みでもするように、再びギャッ、ギャッと啼き立てた。私はその樅の木からさえ、心ならずも立ち去った。

十二月七日

集会堂の傍《かたわ》らの、冬枯れた林の中で、私は突然《とつぜん》二声ばかり郭公《かっこう》の啼きつづけたのを聞いたような気がした。その啼き声はひどく遠くでしたようにも、又ひどく近くでしたようにも思われて、それが私をそこいらの枯藪《かれやぶ》の中だの、枯木の上だの、空ざまを見まわせさせたが、それっきりその啼き声は聞えなかった。

それは矢張りどうも自分の聞き違《ちが》えだったように私にも思われて来た。が、それよりも先きに、そのあたりの枯藪だの、枯木だの、空だのは、すっかり夏の懐《なつか》しい姿に立ち返って、私の裡《うち》に鮮《あざや》かに蘇《よみが》えり出した。……

けれども、そんな三年前の夏の、この村で私の持っていたすべての物が既《すで》に失われて、いまの自分に何一つ残ってはいない事を、私が本当に知ったのもそれと一しょだった。

十二月十日

この数日、どういうものか、お前がちっとも生き生きと私に蘇って来ない。そうしてときどきこうして孤独《こどく》でいるのが私には殆《ほとん》どたまらないように思われる。朝なんぞ、煖炉《だんろ》に一度組み立てた薪《まき》がなかなか燃えつかず、しまいに私は焦《じ》れったくなって、それを荒あらしく引っ掻《か》きまわそうとする。そんなときだけ、ふいと自分の傍らに気づかわしそうにしているお前を感じる。——私はそれから漸っと気を取りなおして、その薪をあらたに組み変える。

又午後など、すこし村でも歩いて来ようと思って、谷を下りてゆくと、この頃は雪解けがしている故《ゆえ》、道がとても悪く、すぐ靴《くつ》が泥《どろ》で重くなり、歩きにくくてしようがないので、大抵《たいてい》途中から引っ返して来てしまう。そうしてまだ雪の凍《し》みついている、谷までさしかかると、思わずほっとしながら、しかしこん度はこれから自分の小屋までずっと息の切れるような上り道になる。そこで私はともすれば滅入《めい》りそうな自分の心を引き立てようとして、「たといわれ死のかげの谷を歩むとも禍害《わざわい》をおそれじ、なんじ我とともに在《いま》せばなり……*」と、そんなうろ覚えに覚えている詩篇《しへん》の文句なんぞまで思い出して自分自身に云ってきかせるが、そんな文句も私にはただ空虚《うつろ》に感ぜられるばかりだった。

十二月十二日

夕方、水車の道に沿った例の小さな教会の前を私が通りかかると、そこの小使らしい男が雪泥の上に丹念に石炭殻《せきたんがら》を撒《ま》いていた。私はその男の傍《そば》に行って、冬でもずっとこの教会は開いているのですか、と何んという事もなしに訊《き》いてみた。

「今年はもう二三日うちに締《し》めますそうで――」とその小使はちょっと石炭殻を撒く手を休めながら答えた。「去年はずっと冬じゅう開いておりましたが、今年は神父様が松本の方へお出《いで》になりますので……」

「そんな冬でもこの村に信者はあるんですか？」と私は無《ぶ》躾《しつ》けに訊いた。

「殆どいらっしゃいませんが。……大抵、神父様お一人《ひとり》で毎日のお弥撒《ミサ》*をなさいます」

私達がそんな立ち話をし出しているところへ、丁度外出先からその独逸《ドイツ》人だとかいう神父が帰って来た。こん度は私がその日本語をまだ充分《じゅうぶん》理解しない、しかし人なつこそうな神父に摑《つか》まって、何かと訊かれる番になった。そうしてしまいには何か聞き違えでもしたらしく、明日の日曜の弥撒《ミサ》には是非来い、と私はしきりに勧《すす》められた。

十二月十三日、日曜日

朝の九時頃、私は何を求めるでもなしにその教会へ行った。小さな蠟燭《ろうそく》の火のともった祭壇《さいだん》の前で、もう神父が一人の助祭*と共に弥撒《ミサ》をはじめていた。信者でもなんでもない私は、どうして好いか分からず、唯《ただ》、音を立てないようにして、一番後ろの方にあった藁《わら》で出来た椅子《いす》にそのままそっと腰《こし》を下ろした。が、やっと内のうす暗さに目が馴《な》れてくると、それまで誰《だれ》もいないものとばかり思っていた信者席の、一番前列の、柱のかげに一人黒ずくめのなりをした中年の婦人がうずくまっているのが目に入ってきた。そうしてその婦人がさっきからずっと跪《ひざま》ずき続けているらしいのに気がつくと、私は急にその会堂のなかのいかにも寒々としているのを身にしみて感じた。

……

それからも小一時間ばかり弥撒《ミサ》は続いていた。その終りかける頃、その婦人がふいと半巾《ハンカチ》を取りだして顔にあてがったのを私は認めた。しかしそれは何んのためだか、私には分からなかった。そのうちに漸っと弥撒《ミサ》が済んだらしく、神父は信者席の方へは振《ふ》り向かずに、そのまま脇《わき》にあった小室の中へ一度引っ込《こ》んで行った。その婦人はなおもまだじっと身動きもせずにいた。が、その間に、私だけはそっと教会から抜《ぬ》け出した。

それはうす曇《ぐも》った日だった。私はそれから雪解けのした村の中を、いつまでも何か充《み》たされないような気持で、あてもなくさ迷っていた。昔《むかし》、お前とよく絵を描きにいった、真ん中に一本の白樺《しらかば》のくっきりと立った原へも行ってみて、まだその根もとだけ雪の残っている白樺の木に懐しそうに手をかけながら、その指先きが凍えそうにな るまで、立っていた。しかし、私にはその頃のお前の姿さえ殆ど蘇《よみがえ》って来なかった。……とうとう私は其処《そこ》も立ち去って、何んともいうにいわれぬ寂《さび》しい思いで、枯木の間を抜けながら、一気に谷を昇《のぼ》って、小屋に戻《もど》って来た。

そうしてはあはあと息を切らしながら、思わずヴェランダの床板《ゆかいた》に腰を下ろしていると、そのとき不意とそんなむしゃくしゃした私に寄り添《そ》ってくるお前が感じられた。が、私はそれにも知らん顔をして、ぼんやりと頰杖《ほおづえ》をついていた。その癖《くせ》、そういうお前をこれまでになく生き生きと――まるでお前の手が私の肩《かた》にさわっていはしまいかと思われる位、生き生きと感じながら……

「もうお食事の支度《したく》が出来ておりますが――」

小屋の中から、もうさっきから私の帰りを待っていたらしい村の娘《むすめ》が、そう私を食事に呼んだ。私はふっと現《うつつ》に返りながら、このままもう少しそっとして置いてくれたら好《よ》かりそうなものを、といつになく浮かない顔つきをして小屋の中にはいって行った。そうして娘には一言も口をきかずに、いつものような一人きりの食事に向った。

夕方近く、私はなんだかまだ苛《い》ら苛《い》らしたような気分のままその娘を帰してしまったが、それから暫《しば》らくするとその事をいくぶん後悔《こうかい》し出しながら、再びなんと云《い》う事もなしにヴェランダに出て行った。そうしてまたさっきのように（しかしこん度はお前なしに……）ぼんやりとまだ大ぶ雪の残っている谷間を見下ろしていると、ゆっくり枯木の間を抜け抜け誰だかその谷じゅうをと見こう見しながら、だんだんこっちの方へ登って来るのが認められた。何処《どこ》へ来たのだろうと思いながら見続けていると、それは私の小屋を捜《さが》しているらしい神父だった。

十二月十四日

きのう夕方、神父と約束をしたので、私は教会へ訪ねて行った。あす教会を閉《とざ》して、すぐ松本へ立つとか云う事で、神父は私と話をしながらも、ときどき荷拵《にごしら》えをしている小使のところへ何か云いつけに立って行ったりした。そうしてこの村で一人の信者を得ようとしているのに、いま此処《ここ》を立ち去るのはいかにも残念だと繰《く》り返し言っていた。私はすぐにきのう教会で見かけた、やはり独逸《ドイツ》人らしい中年の婦人を思い浮べた。そうしてその婦人のことを神父に訊こうとしかけながら、その時ひょっくりこれはまた神父が何か思い違えて、私自身のことを言っているのではあるまいかと云う気もされ出した。……

そう妙《みょう》にちぐはぐになった私達の会話は、それからはますます途絶《とだ》えがちだった。そうして私達はいつか黙《だま》り合ったまま、熱過ぎるくらいの煖炉《だんろ》の傍で、窓硝子《まどガラス》ごしに、小さな雲がちぎれちぎれになって飛ぶように過ぎる、風の強そうなしかし冬らしく明るい空を眺《なが》めていた。

「こんな美しい空は、こういう風のある寒い日でなければ見られませんですね」神父がいかにも何気《なにげ》なさそうに口をきいた。

「本当に、こういう風のある、寒い日でなければ……」と私は鸚鵡《おうむ》がえしに返事をしながら、神父のいま何気なく言ったその言葉だけは妙に私の心にも触《ふ》れてくるのを感じていた……

一時間ばかりそうやって神父のところにいてから、私が小屋に帰ってみると、小さな小包が届いていた。ずっと前から註文《ちゅうもん》してあったリルケの「鎮魂歌《レクイエム》*」が二三冊の本と一しょに、いろんな附箋《ふせん》がつけられて、方々へ廻送《かいそう》されながら、やっとの事でいま私の許《もと》に届いたのだった。
夜、すっかりもう寝《ね》るばかりに支度をして置いてから、私は煖炉の傍で、風の音をときどき気にしながら、リルケの「レクイエム」を読み始めた。

十二月十七日

又《また》雪になった。けさから殆ど小止《おや》みもなしに降りつづいている。そうして私の見ている間に目の前の谷は再び真っ白になった。こうやっていよいよ冬も深くなるのだ。きょうも一日中、私は煖炉の傍《かたわ》らで暮《く》らしながら、ときどき思い出したように窓ぎわに行って雪の谷をうつけたように見やっては、又すぐに煖炉に戻って来て、リルケの「レクイエム」に向っていた。未《いま》だにお前を静かに死なせておこうとはせずに、お前を求めてやまなかった、自分の女々《めめ》しい心に何か後悔に似たものをはげしく感じながら……

私は死者達を持っている、そして彼等《かれら》を立ち去るが儘《まま》にさせてあるが、
彼等が噂《うわさ》とは似つかず、非常に確信的で、
死んでいる事にもすぐ慣《な》れ、頗《すこぶ》る快活であるらしいのに

驚《おどろ》いている位だ。只《ただ》お前――お前だけは帰って来た。お前は私を掠《かす》め、まわりをさ迷い、何物かに衝《つ》き当る、そしてそれがお前のために音を立てて、お前を裏切るのだ。おお、私が手間をかけて学んで得た物を私から取除《とりの》けてくれるな。正しいのは私で、お前が間違っているのだ、もしかお前が誰かの事物に郷愁《きょうしゅう》を催《もよお》しているのだったら。我々はその事物を目の前にしていても、それは此処《ここ》に在《あ》るのではない。我々がそれを知覚すると同時にその事物を我々の存在から反映させているきりなのだ。

十二月十八日

漸《ようや》く雪が歇《や》んだので、私はこういう時だとばかり、まだ行ったことのない裏の林を、奥《おく》へ奥へとはいって行ってみた。ときどき何処《どこ》かの木からどおっと音を立ててひとりでに崩《くず》れる雪の飛沫《ひまつ》を浴びながら、私はさも面白そうに林から林へと抜けて行った。勿論《もちろん》、誰もまだ歩いた跡《あと》なんぞはなく、唯《ただ》、ところどころに兎《うさぎ》がそこいら中を跳《は》ねまわったらしい跡が一めんに附いているきりだった。又、どうかすると雉子《きじ》の足跡のようなものがすうっと道を横切っていた……

しかし何処まで行っても、その林は尽《つ》きず、それにまた雪雲らしいものがその林の上に拡《ひろ》がり出してきたので、私はそれ以上奥へはいることを断念して途中から引っ返して来た。が、どうも道を間違えたらしく、いつのまにか私は自分自身の足跡をも見失っていた。私はなんだか急に心細そうに雪を分けながら、それでも構わずにずんずん自分の小屋のありそうな方へ林を突切《つっき》って来たが、そのうちにいつからともなく私は自分の背後に確かに自分のではない、もう一つの足音がするような気がし出していた。それはしかし殆どあるかないか位の足音だった……

私はそれを一度も振り向こうとはしないで、ずんずん林を下りて行った。そうして私は何か胸をしめつけられるような気持になりながら、きのう読み畢《お》えたリルケの「レクイエム」の最後の数行が自分の口を衝いて出るがままに任せていた。

帰っていらっしゃるな。そうしてもしお前に我慢《がまん》できたら、
死者達の間に死んでお出《いで》。死者にもたんと仕事はある。
けれども私に助力はしておくれ、お前の気を散らさない程度で、
屢々《しばしば》遠くのものが私に助力をしてくれるように——私の裡《うち》で。

十二月二十四日

夜、村の娘の家に招《よ》ばれて行って、寂《さび》しいクリスマスを送った。こんな冬は人けの絶えた山間の村だけれど、夏なんぞ外人達が沢山《たくさん》はいり込んでくるような土地柄《がら》ゆえ、普通の村人の家でもそんな真似事《まねごと》をして楽しむものと見える。

九時頃《ごろ》、私はその村から雪明りのした谷陰をひとりで帰って来た。そうして最後の枯木林に差しかかりながら、私はふとその道傍《みちばた》に雪をかぶって一塊《ひとかたま》りに塊っている枯藪の上に、何処からともなく、小さな光が幽《かす》かにぽつんと落ちているのに気がついた。こんなところにこんな光が、どうして射《さ》しているのだろうと訝《いぶか》りながら、そのどっか別荘《べっそう》の散らばった狭《せま》い谷じゅうを見まわしてみると、明りのついているのは、たった一軒《けん》、確かに私の小屋らしいのが、ずっとその谷の上方に認められるきりだった。……「おれはまあ、あんな谷の上に一人っきりで住んでいるのだなあ」と私は思いながら、その谷をゆっくりと登り出した。「そうしてこれまでは、おれの小屋の明りがこんな下の方の林の中にまで射し込んでいようなどとはちっとも気がつかずに。御覧《ごらん》……」と私は自分自身に向って言うように、「ほら、あっちにもこっちにも、殆どこの谷じゅうを掩《おお》うように、雪の上に点々と小さな光の散らばっているのは、どれもみんなおれの小屋の明りなのだからな。……」

漸《や》っとその小屋まで登りつめると、私はそのままヴェランダに立って、一体この小屋の明りは谷のどの位を明るませているのか、もう一度見てみようとした。が、そうやって見ると、その明りは小屋のまわりにほんの僅《わず》かな光を投げているに過ぎなかった。そうしてその僅かな光も小屋を離《はな》れるにつれてだんだん幽かになりながら、谷間の雪明りとひとつになっていた。

「なあんだ、あれほどたんとに見えていた光が、此処《ここ》で見ると、たったこれっきりなのか」と私はなんだか気の抜けたように一人ごちながら、それでもまだぼんやりとその明りの影《かげ》を見つめているうちに、ふとこんな考えが浮んで来た。「――だが、この明りの影の工合なんか、まるでおれの人生にそっくりじゃあないか。おれは、おれの人生のまわりの明るさなんぞ、たったこれっ許《ばか》りだと思っているが、本当はこのおれの小屋の明りと同様に、おれの思っているよりかもっともっと沢山あるのだ。そうしてそいつ達がおれの意識なんぞ意識しないで、こうやって何気《なにげ》なくおれを生かして置いてくれているのかも知れないのだ……」

そんな思いがけない考えが、私をいつまでもその雪明りのしている寒いヴェランダの上に立たせていた。

にさせていた。

十二月三十日

本当に静かな晩だ。私は今夜もこんなかんがえがひとりでに心に浮んで来るがままにさせていた。

「おれは人並《ひとなみ》以上に幸福でもなければ、又不幸でもないようだ。そんな幸福だとか何んだとか云《い》うような事は、嘗《か》つてはあれ程《ほど》おれ達をやきもきさせていたっけが、もう今じゃあ忘れていようと思えばすっかり忘れていられる位だ。反《かえ》ってそんなこの頃のおれの方が余《よ》っ程《ぽど》幸福の状態に近いのかも知れない。まあ、どっちかと云えば、この頃のおれの心は、それに似てそれよりは少し悲しそうなだけ、――そうかと云ってまんざら愉《たの》しげでないこともない。……こんな風におれがいかにも何気なさそうに生きていられるのも、それはおれがこうやって、なるたけ世間なんぞとは交じわらずに、たった一人で暮らしている所為《せい》かも知れないけれど、そんなことがこの意気地《いくじ》なしのおれに出来ていられるのは、本当にみんなお前のお蔭《かげ》だ。それだのに、節子、おれはこれまで一度だっても、自分がこうして孤独《こどく》で生きているのを、お前のためだなんぞとは思った事がない。それはどのみち自分一人のために好き勝手な事をしているのだとしか自分には思えない。或《あるい》はひょっとしたら、それも矢《や》っ張《ぱり》お前のためにはしているのだが、それがそのままでもって自分一人のためにしているように自分に思われる程、おれはおれには勿体《もったい》ないほどのお前の愛に慣れ切ってしまっているのだろうか？ それ程、お前はおれには何んにも求めずに、おれを愛していてくれたのだろうか？……」

そんな事を考え続けているうちに、私はふと何か思い立ったように立ち上りながら、小屋のそとへ出て行った。そうしていつものようにヴェランダに立つと、丁度この谷と背中合せになっているかと思われるようなあたりでもって、風がしきりにざわめいているのが、非常に遠くからのように聞えて来る。それから私はそのままヴェランダに、あたかもそんな遠くでしている風の音をわざわざ聞きに出でもしたかのように、それに耳を傾《かたむ》けながら立ち続けていた。私の前方に横《よこた》わっているこの谷のすべてのものは、最初のうちはただ雪明りにうっすらと明るんだまま一塊りになってしか見えずにいたが、そうやってしばらく私が見るともなく見ているうちに、それがだんだん目に慣れて来たのか、それとも私が知らず識《し》らずに自分の記憶《きおく》でもってそれを補い出していたのか、いつの間にか一つ一つの線や形を徐《おもむ》ろに浮き上がらせていた。それほど私にはその何もかもが親しくなっている、この人々の謂《い》うところの幸福の谷――そう、なるほどこうやって住み慣れてしまえば、私だってそう人々と一しょになって呼んでも好いような気のする位だが、……此処だけは、谷の向う側はあんなにも風がざわめいているというのに、本当に静かだこと。まあ、ときおり私の小屋のすぐ裏の方で何かが小さな音を軋《き》しらせているようだけれど、あれは恐《おそ》らくそんな遠くからやっと届いた風のために枯れ切った木の枝と枝とが触《ふ》れ合っているのだろう。又、どうかするとそんな風の余りらしいものが、私の足もとでも二つ三つの落葉を他《ほか》の落葉の上にさらさらと弱い音を立てながら移している……。

注解

（ページ）

八 ＊ファウスト Faust ドイツの詩人ゲーテが、中世ドイツの魔術師《まじゅつし》ファウストの伝説に取材した著名な詩劇。この引用句はファウストの独白のせりふ。

九 ＊K…村にて 「K…村」は、長野県北佐久郡《きたさくぐん》軽井沢町《かるいざわまち》。現在の軽井沢町の旧軽井沢がこの作品の舞台《ぶたい》になっている。

一〇 ＊閑古鳥《かんこどり》 郭公《かっこう》の異名。

一一 ＊バンガロオ bungalow（英） もとの意はインドのベンガルふうの建物。軒が深く、ベランダがついた夏季用の山小屋ふうの建物。

一四 ＊マダム・ド・ラファイエット Madame de La Fayette（1634～93） 本名はマリ・マドレーヌ・ラ・ファイエット。フランスの女流小説家。代表作「クレエヴ公爵夫人《こうしゃくふじん》」（クレーヴの奥方《おくがた》）は、古典的な文体で貞淑《ていしゅく》な夫人の恋《こい》を描《えが》き、フランス心理小説の伝統を作った名作。

＊ラジイゲ レーモン Raymond Radiguet（1903～23） フランスの詩人、小説家。代表作「ドルジェル伯《はく》の舞踏会《ぶとうかい》」は古典主義的な簡潔な文体で人間心理を分析《ぶんせき》したフランス心理小説の傑作《けっさく》。

二〇
*紅殻板《べにがらいた》　紅殻を塗《ぬ》った板。「紅殻」は黄色を帯びた赤色の顔料。本来は「べんがら」。インドのベンガルに産したからいう。
*ヴィラ　villa 別荘《べっそう》。

二一
*亜麻色《あまいろ》　brun（e）（仏）茶褐色《ちゃかっしょく》。亜麻色の毛髪《もうはつ》は南ヨーロッパ、特にフランス人に多い。北ヨーロッパのゲルマン系のブロンド（金茶色）の毛髪と対照的である。

二五
*田園交響曲《でんえんこうきょうきょく》　ベートーヴェンの交響曲第六番、ヘ長調、作品六八。一八〇八年初演。
*細木さん　細木夫人という人物は娘《むすめ》とともに堀辰雄《ほりたつお》の「聖家族」に登場する。

二九
*マイ・ミクスチュア　タバコの葉を混ぜ合わせて作ったパイプタバコの名。
*サナトリウム　sanatorium 高原、海辺、林間などに設けられた転地療養所《りょうようじょ》。おもに結核患者《けっかくかんじゃ》の療養所をいう。

三〇
*アドルフ　Adolphe フランスの小説家バンジャマン・コンスタンの小説。一青年が熱烈《ねつれつ》な恋に落ち、やがてその重荷に苦しむ過程を描く自伝体の小説。フランス心理小説の傑作の一。

三二
*ニイチェアン　ニーチェに心酔《しんすい》する人。ニーチェ Friedrich Wilhelm Nietzsche（1844～1900）はドイツの哲学者《てつがくしゃ》で、キリスト教と近代思想を否定して、「超人《ちょうじん》」の思想を説いた。主著「ツアラトゥストラはかく語りき」。
*zweisam　ツワイザーム（独）。アインザーム einsam（孤独《こどく》の）をもじった言葉。二人きりの、さし向いの、という意。堀辰雄の作品「晩夏」の中に「孤独の淋しさ《アインザームカイト》」と

はちがう、がほとんどそれと同種の、いわば差し向いの淋《さび》しさと言ったようなもの」という文章がある。

三八　*氷倉《こおりぐら》　昔《むかし》は天然氷を地中または山陰《やまかげ》などに作った室《むろ》や穴に入れて夏まで貯《たくわ》えたが、その室をいう。普通《ふつう》「氷室《ひむろ》」という。

四二　*ハイネ　ハインリヒ Heinrich Heine（1797〜1856）ドイツ浪漫派《ろうまんは》の代表的詩人。鋭《するど》い感性と近代的知性で革命と自由をうたった。代表作は「ハルツ紀行」「歌の本」「ドイツ・冬物語」など。

四三　*バッハ　ヨハン・セバスチァン Johann Sebastian Bach（1685〜1750）バロック時代の最後を飾《かざ》るドイツの作曲家。数多くの宗教音楽、管弦《かんげん》楽曲を作った。主題と対主題の応答と転調のうちに曲が展開する遁走曲《フーガ》を聞いたことが、「美しい村」の作品展開の一つの契機《けいき》となった。「美しい村」の章の副題に「或《あるい》は　小遁走曲」とあるのは、それを暗示している。

四八　*立ちもとおって　ぶらついて。徘徊《はいかい》して。

五一　*機嫌《きげん》買い　自分の折々の気分のよしあしによって、相手に対する機嫌がよかったり悪かったりすること。またその人。

八一　*ベルヴェデエルの丘《おか》　belvédère（仏）、Belvedere（独）見晴らし台。見晴らしのよい丘で「ベルヴェデエルの丘」と呼ぶ所があったか。

九〇　*Le vent se lève,……　ヴァレリーの詩「海辺の墓地」の一句。堀辰雄はこの句を文中で「風立ちぬ、いざ生きめやも」と訳している。「生きめやも」は「生きなければならぬ」という意。

*PAUL VALÉRY　ポール・ヴァレリー（1871〜1945）フランスの詩人、批評家、思想家。マラルメに師事して出発した象徴《しょうちょう》派《は》の詩人。明確な技法、厳密な思考によって書いた純粋詩《じゅんすいし》と多くの散文は、後代に大きな影響《えいきょう》を与《あた》えた。詩集「若きパルク」「魅《み》惑《わく》」などのほかに評論集「ヴァリエテ」など多くの著作がある。

九九　*Fのサナトリウム　後に「八ヶ岳《やつがたけ》山麓《さんろく》のサナトリウム」と書かれているが、信州の富《ふ》士見《じみ》高原療養所。このサナトリウムは、堀辰雄の「菜穂子《なおこ》」にも使われている。

一〇一　*フレンチ扉《ドア》　中央から左右に開くように作られた扉。

一〇二　*センシュアル　sensual（英）肉感的、官能的。

一一三　*二等室　当時の国鉄の列車には、一、二、三等があった。二等室は現在のグリーン車にあたる。

一一七　*バルコン　balcon（仏）バルコニー。露《ろ》台《だい》。

一一八　*代赭色《たいしゃいろ》　代赭（粉末状の赤鉄鉱の顔料）に似た茶色味を帯びた橙色《だいだいいろ》。

一二〇　*病竈《びょうそう》　「病巣《そう》」と同じ。病気におかされている個所《かしょ》。

一三六　*なぞえ　傾斜《けいしゃ》。斜面。

一四三　*夜《よ》伽《とぎ》　一晩寝《ね》ずに人につきそうこと。

一四六　*イデエ　idée（仏）idee（独）観念、思想。ここでは「想念」というような意味。

一四九　＊パセティック　pathetic（英）悲痛で、感動的な。

一八八　＊「たといわれ……」　旧約聖書詩篇《しへん》第二十三篇四節、ダビデの歌の文句。「なんじの笞《しもと》なんじの杖《つえ》われを慰《なぐさ》む」と続く。

一八九　＊弥撒《ミサ》　missa（ラテン語）のあて字。カトリック教会で、謝恩・贖罪《しょくざい》・恩寵《おんちょう》の祈願《きがん》をする儀式《ぎしき》。

一九〇　＊助祭《じょさい》　カトリック教で司祭の次の位の聖職者。

一九三　＊リルケの「鎮魂歌《レクイエム》」　ライナー・マリーア・リルケ Rainer Maria Rilke（1875〜1926）はオーストリアの詩人。プラハ生まれ。人間の運命、生の本源的な意味を追求した思想的な詩と小説を残した。小説「マルテの手記」、詩「ドイノの悲歌」「オルフォイスに捧《ささ》げるソネット」などが代表作。「鎮魂歌」Requiem は、運命としての「死」を静かにうけいれた女友達《ともだち》の「死」の意味をうたった鎮魂《ちんこん》の詩。

谷《たに》　田《だ》　昌《しょう》　平《へい》

堀辰雄《ほりたつお》　人と作品

中村真一郎

現代の若い読者にとっては、堀辰雄という名前は、夏目漱石《なつめそうせき》や芥川龍之介《あくたがわりゅうのすけ》と同じように、文学史の頁《ページ》のうえの存在で、今、同じ時代の空気を吸って身近に生きている人、たとえば安部公房《あべこうぼう》とか大江健三郎《おおえけんざぶろう》とかいう人物とは、同じような実在感、——何かの拍子《ひょうし》で、電車の吊革《つりかわ》にぶらさがって、隣《とな》りに立っているのに偶然《ぐうぜん》に出会《であ》うという、かなり濃厚《のうこう》な可能性——を感じることは全くないだろう。

しかし、私、一九八五年の現在、六十歳《さい》代の半ばを過ぎた人間である男は、現実に二十歳の頃《ころ》から三十歳代の半ばまで、この十四歳年上の作家のもとに最も親しく出入りし、戦前の氏の比較的《ひかくてき》健康だった時は、一緒《いっしょ》に銀座や浅草を散歩したり、丸善へ本を買いに行くお伴《とも》をしたり、夏は旧軽井沢《きゅうかるいざわ》の別荘《べっそう》を開けるために留守になる追分《おいわけ》村の方の家の留守番に住みこんで、その書庫の本を自分のもの同然に自由に使ったり、小さな試作を堀さんの編集する『四季』に載《の》せてもらったり、処女作の長篇《ちょうへん》小説『死の影《かげ》の下に』を、病床《びょうしょう》で生原稿《なまげんこう》のまま読んでもらったり、私が結婚《けっこん》をすると新婚の家庭のために、東京の堀さんの家の一部を提供されたり、金に困るとフランスの小説の読みあげたのを持ちこんで買ってもらったり、今、考えてみると、想像外に遠慮《えんりょ》のない関係の身近な存在——それも私が作家となるために最も重要だった、かけがえのない自己形成の時期に——で、堀辰雄はあった。

そうして、様々の機会に堀さんは、私の生き方について忠告してくれたり、又《また》、自分の過去について思い出を聞かせてくれたり、思いがけない鋭《するど》い社会批評や人生観察を話してくれたり、本の読み方、小説の書き方については、これは手取り足取りという感じで、細かい漢字の使い方に至るまで指示してくれたりで、だから堀辰雄は三十年後の今でも何かの時に、私の心のなかに現れて、気軽に話しかけてくれそうな実在感を与《あた》えつづけているのである。

ところで、何故《なぜ》、このような個人的な告白に類することを記したかと言うと、戦時中から一時に名声を獲得《かくとく》し、そして現在に至るまで多数の若い読者を持ちつづけている堀辰雄は、その人気の性質が——というのは、氏の文学についての、一般《いっぱん》の評価の内容がと言いかえてもいいが——私には、どうも危険であり、それは結局、作家堀辰雄の不幸にもなる、と考えるからである。

堀辰雄の文学は、この世ならぬ、ある香《かお》りのようなもの、実在しない、素適《すてき》な夢《ゆめ》のようなもの、現実であるには純粋《じゅんすい》すぎるもの、というふうに受けとられ、それが夢見がちな若者の心を捉《とら》え、彼等《かれら》が人生に直面しようとするのを、その眼《め》を外《そ》らさせようとする、つまり快い逃避《とうひ》の文学として理解されがちだからである。そして、従ってそのような作品を書いた作者は、やはりこの雑駁《ざっぱく》な社会には生きていなかった、人間でない妖精《ようせい》のような存在だと、誤解される結果になっている。

そして、この誤解は一部の堀辰雄嫌《ぎら》いの人々をも生んでいるし、それは堀辰雄の文学の真実の価値を見失った浅薄《せんぱく》な受けとり方なのである。

堀辰雄の、あの確かに現在の小説一般が失っている、一種の品位のようなもの、微《び》妙《みょう》な洗煉《せんれん》というふうのものは、無視できないその文学の美点であるとしても、にも拘《かかわ》らず氏の小説は、他の多くの作家の作品同様、この生《なま》の、私たち自身が生きている日常の現実からその素材を汲《く》みとられたものである。そして、その現実の生《せい》の場におけ る、氏自身の感覚、美意識、人生観が、結晶《けっしょう》して作品となったものであり、どこか存在しない、人生以外の場から空想的に作り出された生命のない、造花的作品ではない。

それを改めて念を押《お》したいために、つい三十年前まで、氏は現実にこの世に生活し、現にこの私がその証人であるという事実から、この解説をはじめたのである。

私のこの、氏の文学に対する意外な評価、一般的な愛好者の幻影《げんえい》打破への提案は、氏の作品の持つ独自の美しさの否定では全くない。逆に、そうした現実に根ざした強いものであると指摘《してき》することこそが、氏の作品の美しさに、更《さら》に輝《かがや》きを加えるものである。

かつて堀辰雄は、氏の文学的出発の時期に、肩《かた》を並《なら》べて登場した多くの芸術派の新進作家たちが、十年もしないうちにほとんど皆、姿を没《ぼっ》してしまったのに、自分ひとりが生き残っている理由として、自分は修業時代に同人雑誌『驢馬《ろば》』の仲間——彼等は氏ひとりを残して、中野重治《なかのしげはる》をはじめとして、全員マルクス主義者として実践《じっせん》運動に入って行った——に思想的にもまれて鍛《きた》えられたので、繊弱《せんじゃく》なモダーニストたちとは異《ことな》って、風雪に耐《た》え抜《ぬ》くことができたのだ、と私に語ったことがある。又、氏の死の直後に、中野氏からも「自分と堀君とは、文学的な道が分れたというようなことはない」という、強い言葉をやはり私は聞かされている。『聖家族』を書く、ほんの数年前に、堀辰雄は中野重治たちと『反デューリング論』の輪読会を行っていた（このドイツ語のテキストの読書会に、堀さんはフランス語訳を持って参加していた、とこれもまた中野氏の直話であった）。これは堀辰雄の文学を考える場合に、無視できない背景である。

今、年譜《ねんぷ》に従って、小説家としての堀辰雄の仕事を振《ふ》り返って見ると、大体、次のようになる。年代は最初の完全版単行本出版の年。

一九三二年　聖家族　二八歳
一九三四年　美しい村　三〇歳
一九三八年　風立ちぬ　三四歳
一九三九年　かげろふの日記　三五歳
一九四一年　菜穂子《なおこ》　三七歳
一九四二年　幼年時代　三八歳

つまり氏の代表作は、二十歳代の終りから三十歳代の終りまでの、ほぼ十年間に次つぎと書きあげられて行ったと言うことが判《わか》る。しかも、あの重い病気の繰《く》り返しによる、安静の必要からの不本意な長期の執筆《しっぴつ》中止を、中に何度も挿《はさ》んでである。

この六つの、主題から見て行けば、ひとつのテーマの旋回《せんかい》的発展である作品、しかしその形式《いい》からすれば、一作ごとに驚《おどろ》くべき変貌《へんぼう》を見せて行った作品、のリストを、今こうやって眺《なが》め直す時、私が従来から堀さんに対して持っていた印象、ほとんどいつも病床《びょうしょう》に臥《ふ》していて、ほんの稀《まれ》に仕事をするだけで、普段《ふだん》はフランスからの新着書の山を積みあげて、その一冊の頁を切りながら、色鉛筆《いろえんぴつ》で線を引いてゆっくりと読んでいるか、少し気分のいい時は、古本屋をまわってごっそりと本を買いこんで来て、翌日また喀血《かっけつ》してしまうか、とにかく職業作家という生活とはひどくかけ離《はな》れた、非常に優雅《ゆうが》で贅沢極《ぜいたくきわ》まる文学耽賞者《たんしょうしゃ》という面影《おもかげ》は、一気に掻《か》き消されて、そこに代りに立ち現れるのは、まことに思いがけなくもあり、又、堀辰雄という名前の雰囲気《ふんいき》とは全く別のものであるが、激《はげ》しく慌《あわただ》しく、あるひとつの生の主題を追求しながら、短い時間のなかを変貌を重ねて駆け抜けて行った、流星のような奇蹟《きせき》的な姿が立ち現れてくる。

その激しい生き方のすぐ傍《かたわ》らに生きていて、年少の私は、いつも春風に身をなぶられているような、時間が限りなくゆるやかに流れているような、駘蕩《たいとう》たる気分を味わうことで、苛立《いらだ》ちがちな青春の鬱屈《うっくつ》の日々の、限りない慰《なぐさ》めとしていたのである。

それは堀辰雄という人間の、まことに自己抑制《よくせい》のきいた、表面はおだやかな人柄《ひとがら》のしからしむるところであり――私は二度しか、氏から叱《しか》られた記憶《きおく》がない。一度は速達で頼《たの》まれたヘルダーリンの本の持参が、氏の心づもりより遅《おく》れたためであり、もう一度は『四季』の編集方針に対して私が無理を言いたてた時である。しかし夫人の証言によれば、他の周囲の人たちは、もっと怒《おこ》られる機会は少なかったらしい――そしてそのように温雅で品位と香気《こうき》のある雰囲気を、細心な心くばりで意識的に作りだして、いつもそのなかに住みながら、精神は絶えず新鮮《しんせん》に活潑《かっぱつ》に、そして過労によるスランプなどは知らずに、たゆまず次つぎと新しい領域へと階段を登って行くという、力技《ちからわざ》を行っていたのである。それは表面上は、まことに緩《ゆる》やかに、時にはほとんど動いていないように見える能役者の舞《ま》いが、内部では全身的な力業《ちからわざ》であるのと、似ていた日本的忍耐《にんたい》の結果だと言えよう。

丁度、氏が二十歳の頃、傾倒《けいとう》したジャン・コクトーが、軽業師が綱渡《つなわた》りをしたり、空中ブランコで跳躍《ちょうやく》したりするような、軽々とした身ごなしで、ひとつの魂《たましい》の苦悩《くのう》の主題を、カトリックの神へ向けて追求しながら、形式の上ではカメレオンのように、脱皮《だっぴ》と変装《へんそう》とを繰り返して行った、フランス的軽快と優雅との生き方に、結果としては通い合うところがあるように。

さて、『聖家族』は堀辰雄の小説家としての出発点である。あそこには、彼の少年時代から生涯《しょうがい》を通じて、師として意識していた芥川龍之介の死と、それに対する彼自身の精神革命、又、それと不可分に絡《から》み合っている、芥川の晩年の愛人と、その娘《むすめ》で堀さんの愛人であった人との、宿命的な四角関係、という氏の一貫した文学的主題が、原型のまま図式的に造作されている。形式としては当時の前衛的手法、「エスプリ・

ヌーヴォー」の日本における、最初の文体的成功であり、構成に対する異常なまでの、ほとんど装飾《そうしょく》的な——その意味で、日本の伝統のひとつである大和絵《やまとえ》から琳派《りんぱ》に至る、様式的芸術家たちとの血縁《けつえん》を感じさせるし、彼を育ててくれた義父の彫金《ちょうきん》職人の技術をも連想させせようが——完璧《かんぺき》な仕上げへの趣味《しゅみ》が、この処女作を見事なできばえにしている。しかも、これもまた日本の芸術の伝統的特徴《とくちょう》である「小さな完成品」、箱庭や根付や小物入れが、大きな世界を極端《きょくたん》な小さな形のなかに移し換《か》えて、完璧な小世界を作りあげるように、この小説は西欧《せいおう》の「ロマン」という——本格的長篇小説、バルザックやスタンダールから、ゾラを通ってプルーストに至る文学形式——あの大きな形式の途方《とほう》もなく可愛《かわい》い雛型を作ってみせている。

そういう意味で、これは東西の文学伝統の融和《ゆうわ》した、まことに上質の珍品《ちんぴん》である。

次の『美しい村』は、その主題の発展を追おうとする作家の、その追求の有様そのものを、抒情《じょじょう》的に描《えが》いた、小説家の楽屋公開のような、あるいは小説という織物の裏地の方を開いてみせたような、極めて意表をついた、一見、随想《ずいそう》的に見えながら、そのアダジオの調子のなかに、当時、作者が共感をもって研究していたプルーストの方法を、さりげなく実験してみせている、といった凝《こ》った、一種のアンチ・ロマンである。

そして、次が『風立ちぬ』であるが、ここでは前作のなかに、偶然のようにして思いがけなく滑《すべ》りこんで来た、氏の人生上の第二の主題が、物語の筋としては正面にすえられ、それが実際の氏の生活のなかでの婚約者との療養所《りょうようじょ》での共同生活及《およ》び、その死という事件を通して、死を見つめながら生きる、つかの間の生の、真の強い生命の燃え上り、という哲学《てつがく》にまで昇華《しょうか》され、そしてそれは氏の生涯の第一の主題と微妙に溶《と》け合って行くだろう。

そうして、この作品のなかには、氏がプルーストについで読みはじめたリルケの影《えい》響《きょう》の最初の現れが見られるのも、注目すべきだろう。

氏は、あくまでその主題は、人生そのものの痛切な経験から、あるいは回復不能なほどの、人生出発時における魂の傷口から、つかみだしたものであった。しかしそれに文学作品としての形式を与えるためには、氏は自身に共感を与える、そして日本の文学界にとっては、最新の文学作品を跳躍台に利用した。その意味で、氏は生涯を通じて「前衛作家」でありつづけた。そして、『聖家族』にラディゲ、『美しい村』にプルースト、『風立ちぬ』にリルケというふうに、そうした跳躍台を数え立てる場合に、師芥川ゆずりの、信じられないくらいの多読家である氏は、同時に、思いがけない――というのは、およそ氏の作風からは想像もつかない、という意味であるが――別

ている。

　の作品をも、作品の構想なり、細部の仕上げなりに、遠慮なく利用していて、私たち読者がそれに気がつくのを、作者は宝さがしの悪戯《いたずら》を仕掛《しか》けた人のように、笑って見ているような気がすることがある。

『風立ちぬ』では、さし当って、あの療養所での愛する男女の共同生活という、日本の在来の小説には全く先例のない情景を描く見本として、氏は何と、氏の文学的趣味にとっては恐《おそ》らく肌合《はだあ》いのちがいすぎる、前世紀末のウィーンの情痴《じょうち》作家、シュニッツラーの『みれん』(森鷗外《もりおうがい》による、いち早い紹介《しょうかい》があった)を、明らかにとり上げている。

　このシュニッツラーの小説の場合、男女のうち、病人の方は男性なのであるが、しかし、病気、死、と芸術的制作と生命の認識という、堀さんと相似た材料が用いられていて、似たような山間の療養所で、似たような日々を過している。『風立ちぬ』のなかで、山腹にかかる雲は、時として作者が目睹《もくと》したものでなく、『みれん』の一頁から借りて来たものもあったかも知れない。しかし、それは完全に、作品のなかに溶けこんでいるので、その効果を弱めてはいないし、読者の魂を揺《ゆす》るための、巧妙《こうみょう》な小景の役割を果しているのである。

　この先輩《せんぱい》の仕事のなかから、自分の仕事を引きだす、あるいは極端な場合は「本によって本を書く」というのは、近代の、何よりも独創性を尊ぶ文学者においても、実は珍《めず》らしい現象ではない。ジョイスなどはその最大の実例だし、堀さんには身近に、芥川という魔術師《まじゅつし》のような、その方面の専門家がいたのである。

これは他の芸術ジャンルにおいても、一般的に前衛芸術家のあいだに、却《かえ》って見られる現象かも知れない。たとえばピカソにおけるベラスケス、武満徹《たけみつとおる》における日本の庭など。

さて、堀辰雄は、『風立ちぬ』の次に、近代日本の作家が、芥川以外は全く無視していたと言っていい、わが王朝文学を現代のなかに甦《よみがえ》らせ、氏自身の生の主題をそのなかに読みとって、半ば翻訳《ほんやく》の体裁《ていさい》をとりながら『かげろふの日記』を書き、ついで氏の作家的生涯の目的であった、第一主題をロマン、本格小説として、小説形式の本道を行くやり方で、そして文体には、もはや詩的顧慮《こりょ》などはなしに、スタンダールを模しながら、そして方法としてはモーリアックから多くを借りながら、『菜穂子』を書き、そしてそのあとで、はじめて、その主題から解放された氏は、今度は氏の生の根元である幼時体験にもどって『幼年時代』にとりかかる。この場合、氏の机上《きじょう》に開かれていたのは、カロッサの同名の回想的小説である。

そして、その後、氏はウォルター・ペイターの『快楽主義者マリウス』を精読し、同時に折口信夫《おりくちしのぶ》の古代学に学びながら、わが万葉時代の古い神々と新しい仏たちとの思想的闘争《とうそう》の小説の計画を暖めていたが、病気が遂《つい》にその実現をさまたげて終った。

(昭和六十年十一月、作家)

『風立ちぬ・美しい村』について

丸《まる》　岡《おか》　明《あきら》

　この作品集には、同じ新潮文庫の『燃ゆる頬《ほお》・聖家族』に続く時代のものが集められている。

『美しい村』一連の作品は、昭和八年の夏、六月から九月にかけて、軽井沢《かるいざわ》で書き上げられたものである。

　ひと月ばかり何も書けずにいた後に、やっとその一連の作品中の「美しい村」の部分ができ、それが書き上がると一気に「夏」を書き、それに手紙の形式をとった小品を「序曲」にし、エピローグの「暗い道」ができて、一連のものになったわけだ。

『風立ちぬ』の各編は、昭和十一年の十月、信濃追分《しなのおいわけ》の油屋で書き始められて、最後の章に当る「死のかげの谷」は、翌十二年の十二月、軽井沢の川端康成《かわばたやすなり》の山の家に籠《こも》って書き上げられ、遂《つい》に一つの纏《まとま》った作品にでき上がった。

＊＊＊

『ルウベンスの偽画《ぎが》』（昭和二年・定稿《ていこう》同五年）に始まる堀辰雄《ほりたつお》の文学活動は、早くも『聖家族』（昭和五年）に於《お》いて、一つの頂点を示し、『恢復期《かいふくき》』（昭和六年）、『燃ゆる頬』（昭和六年）、『麦藁帽子《むぎわらぼうし》』（昭和七年）、『旅の絵』（昭和八年）などを経て、昭和八年の七月から九月にかけて書き上げられた『美しい村』一連の作品に到達《とうたつ》した。

この一連の、「序曲」「美しい村」「夏」「暗い道」の各作品は、互《たが》いに精巧《せいこう》な歯車で直接小説の核心《かくしん》に結びつき、ここでは論理と理知とが、一体に溶《と》け合って、雪の華《はな》のような不思議な均衡《きんこう》を保っているのだ。『美しい村』に至るまでの堀辰雄は、一途《いちず》に、作品の完璧《かんぺき》な美しさをめざしてきたようなものである。

『美しい村』を書き始める暫《しばら》く前に、作者は或《あ》る精神的な危機に遭遇《そうぐう》した。『美しい村』は、そうした精神状態からの脱皮《だっぴ》でもあった。「『美しい村』のノオト」に、葛巻《くずまき》義敏《よしとし》に宛《あ》てた手紙があるが、その中で「……いつか君に話した題材はすっかり諦《あきら》めてしまったように書いたけれど、実は、まだあれはすこし未練がある。ただ、それを直接に描きたくないのだ。その点で、僕《ぼく》は音楽家が非常に羨《うらや》ましくなっている。音楽はそのモチイフになった対象なり、感情なりを、すこしも明示しないで、表現できるんを隠《かく》し立てしないで、僕のそんな音楽に近いものにして、今度の作品をそんな表現ができたら、とてもいいと思うんだ」と述べている。『美しい村』の構成については、なおその同じ手紙の中で、バッハの遁走曲《フウグ》を聞き、「それを聴《き》いているうちに、僕はふと今度の小説の形式に思いついた」という。

堀辰雄がそのバッハの遁走曲を聴いたのは、山かげにある軽井沢のチェコスロバキア公使館の別荘《べっそう》から洩《も》れてくるピアノであるが、私はたまたま、この公使館の別荘を訪ねたことがある。そしてそのバッハを練習のために、幾度《いくど》も繰返《くりかえ》し繰返し弾《ひ》いていた弾き手が、五十過ぎの背の高い公使自身であっただろうことも、推測できる。私の学生時代のふとした知合い――学生街の同じ喫茶店《きっさてん》で、よく顔を合せた大学生の一人《ひとり》が、その公使の秘書になっていたからである。公使は灰色の髪《かみ》をして、常にきちんとした身なりをしていた。独身で、秘書のその青年と、ビリイと呼ぶ大きな白い犬と、あとは召使《めしつかい》だけの淋《さび》しい生活をしていた。私は公使がビリイを連れて、散歩をしている姿をしばしば見掛《みか》けたが、公使は何時《いつ》も陰鬱《いんうつ》そうであった。そしてなんとなく、何時《つ》も物語の主人公めいていた。私が昔《むかし》の知合いである青年秘書にお茶を呼ばれて、公使館の別荘へいったのは、或《あ》る晴れた午後だった。門を這入《はい》って、芝生《しばふ》だけの庭を真っ直ぐにゆくと、戸口の踏石《ふみいし》の脇《わき》に、ビリイがうずくまって眠《ねむ》っていた。私は南向きの部屋に案内された。部屋の奥《おく》の隅《すみ》の方に、ピアノがあって、窓近くには、この小さな部屋に不均合《ふつりあい》な巨大《きょだい》で立派なシャンデリヤが、窓に寄せたテーブルの上に、あたかもそのテーブルから吹き出たガラスの噴水《ふんすい》ででもあるように低くさげてつるしてあった。私と青年秘書とは、テーブルを挟《はさ》んで椅子《いす》に掛けた。公使は二階の居間で、何時ものように、読書をしていると、その秘書が言った。家全体が、冷たくしいんとしていて、お茶を運ぶ年取った召使も、おそるおそる足音をしのばせて歩いていた。

その公使の弾くバッハと、自分の心の危機に直接つながる題材を、どう表現したものかと迷っていた堀辰雄との出逢《であ》いは、そこに何か眼に見えぬ必然のものがあるように思えてならない。

『美しい村』のすぐ前に書かれた『旅の絵』（昭和八年。初稿二年）には、重い暗い影《かげ》がある。『美しい村』の後に書いた『鳥料理』（昭和八年暮《くれ》）は、作者の傷だらけの姿であろう。この二編は、『美しい村』を書く前年（七年）の暮に、神戸《こうべ》へ旅した時のことが素材になっているが、如何《いか》にこの東京脱出《だっしゅつ》が、われわれの作者にとって苦痛なものであったか、言いしれぬものがあったのだろう。キリコの『トロフェ』の写真絵を示して、その感動を語る堀辰雄の言葉を聞いたが、それすら私には、この詩人の苦しみの声に聞えた。

『美しい村』を書き出した昭和八年の夏、堀辰雄は軽井沢で、一人の少女とめぐり逢《あ》った。九年の夏の末には、この病《や》める少女と婚約《こんやく》をし、十年の夏には、その許嫁《いいなずけ》を伴《ともな》って、嘗《かつ》て幾月かを過した（『恢復期』。文庫本『燃ゆる頬・聖家族』）ことのある富士見高原の療養所《りょうようじょ》に赴《おもむ》いた。

病める少女は、堀辰雄を完全に精神的危機から救いはしたが、不幸にしてその冬、高原の療養所で、短い一生を終った。

「風立ちぬ」は、翌十一年の九月から十月にかけて、信濃追分《しなのおいわけ》の油屋で執筆《しっぴつ》され、十一月にその続編「冬」を脱稿した。『雉子日記《きじ》』（十二年一月。文庫本『大和路《やまとじ》・信濃路《しなのじ》』）に登場する作者は、許嫁を失い、その不幸な許嫁を主人公とした『風立ちぬ』のうちの一連の小説「冬」を書き上げたばかりなのだ。しかしこの作者にあっては、常に絶望が暗い影とはならず、時を経るに従って、その孤独《こどく》な心が澄《す》み、却《かえ》って作者自身の姿をくっきりとさせて、何処《どこ》となく明るい印象を作品の上にとどめる。例えば『続雉子日記』（同二月）のうちで、作者はリルケが『ドウイノ悲歌』や『オルフォイスに捧《ささ》ぐるソネット』を書いたミュゾットの館《やかた》での晩年について語っているが、その館には、十六世紀の初頭に住んでいたイザベル・ド・シュヴロンという若い女にまつわる悲劇的な物語がある。ポール・ヴァレリーはその館を「恐《おそ》ろしい山々の荒漠《こうばく》たる風物の中に全く孤立せる小さな館」と呼んだというが、浅間山麓《さんろく》の今も旧幕時代の面影《おもかげ》を残した油屋のひと部屋で、一人厳しい冬を過しながら、堀辰雄もまた「かかる沈黙《ちんもく》との極度の親密へ」足を踏《ふ》み入れていったに違いないのだが……。そして、この『風立ちぬ』は翌十二年の冬、軽井沢の川端康成の山の家で書き上げられた「死のかげの谷」によって、漸《よう》く一編の小説に完成した。

堀辰雄は、これより前、昭和七年の夏頃からプルウストの小説を愛読し始めている。プルウストの文学をどう考えたかについては、『狐《きつね》の手套《てぶくろ》』や『プルウスト雑記』の「三つの手紙」以下の諸編に述べられている。

堀辰雄の作品に、プルウストの影のようなものが感じられるのは、昭和十一年の『風立ちぬ』からである。その意味《おもむき》で『風立ちぬ』は、『ルウベンスの偽画』から『美しい村』に至るまでの作品とは趣を異《こと》にしている。『聖家族』の登場人物について、作者も小林秀雄《こばやしひでお》と同じように「それらの人物は私には将棋《しょうぎ》の駒《こま》のようなものだった。……」(『小説のことなど』)と言っているが、『風立ちぬ』では作者の眼の置きどころが、駒を動かす動かし方より、時間の経過に重点を置くような具合に変ってきている。

『プルウスト雑記』の中でデュフィやモディリアーニの画集を売って、ルノアールを買ったと書いているが、これをプルウストの影響《えいきょう》と見るならば、『美しい村』及《およ》び『美しい村』以前の作品と、『風立ちぬ』との間には、やはりそのような相違《そうい》が認められるわけである。

『風立ちぬ』の文脈には、多くの感動がひしめくように描かれていて、一句一句の区切りも、以前の作品より長くなってきている。そして作者の心に残る一つの印象が描かれる場合、その印象は、常に時を隔《へだ》てた他の印象を呼び起しながら表現されている。また構成の上からも、巧妙《こうみょう》に時の流れが立体的にさえ感じられるように工夫《くふう》されていて、それだけに読者の受ける感動も複雑で奥深《おくぶか》い。

「それは、私達がはじめて出会《であ》ったもう二年前にもなる夏の頃《ころ》、不意に私の口を衝《つ》いて出た、そしてそれから私が何んということもなしに口ずさむことを好んでいた、

風立ちぬ、いざ生きめやも。

という詩句が、それきりずっと忘れていたのに、又ひょっくりと私達に蘇《よみがえ》ってきたほどの、——云《い》わば人生に先立った、人生そのものよりかもっと生き生きと、もっ

と切ないまでに愉《たの》しい日々であった」

試みに、『風立ちぬ』のうちのふと眼《め》についた個所《かしょ》を引用してみたわけだが、文体の変ってきていることは、『聖家族』その他と対照してみると、なおよく分ることだろう。

『風立ちぬ』は、一面に於《お》いて、『美しい村』までの作品と趣を異にしながら、「序曲」「春」「風立ちぬ」「冬」「死のかげの谷」の各章によってやはり完璧《かんぺき》な型を示した作品だった。

ただ作品を完璧な型にくくる構成のもとが、時間によってなされている。『風立ちぬ』が私達にもたらした最も大きな驚《おどろ》きは、風のように去ってゆく時の流れを、見事に文字に刻《きざ》み上げて、人間の実体を、その流れの裡《うち》に捉《とら》えて示してくれたことである。


（昭和四十二年七月、作家）

年《ねん》譜《ぷ》

明治三十七年（一九〇四）十二月二十八日、東京市麴町区平河町《こうじまちくひらかわちょう》に生れた。父浜之助《はまのすけ》。母は西村志気《しげ》。浜之助には国もとに妻こうがいたが子供がなく、生後直ちに堀家《ほりけ》の嫡男《ちゃくなん》にされた。三十九年（二歳《さい》）妻こうが上京したため、母志気は辰雄《たつお》を伴《ともな》い、向島《むこうじま》小梅《こうめ》町の妹夫婦の家に身を寄せた。その後、母と祖母と三人で向島土手下に移り、煙草《たばこ》などを商《あきな》って暮《くら》した。

明治四十一年（一九〇八・四歳）母は辰雄を連れ向島須崎《すさき》町の彫金師《ちょうきんし》上条松吉《まつきち》に嫁《か》す。辰雄は松吉の死後も、叔母《おば》に教えられるまで、松吉を実父と信じていた。四十三年（六歳）一家は向島小梅町の水《み》戸屋敷《とやしき》裏に移る。幼稚園《ようちえん》に通うが一カ月でやめた。四十四年（七歳）四月、実父堀浜之助死去。四十四年（七歳）四月、牛島小学校に入学。

大正六年（一九一七・十三歳）三月、牛島小学校を卒業。四月、東京府立第三中学校に入学。

大正十年（一九二一・十七歳）四月、中学四年修了《しゅうりょう》で第一高等学校理科乙類《おつるい》に入学。入寮《にゅうりょう》後神《じん》西清《ざいきよし》を知り、終生親交を結ぶ。同期に小林秀雄《こばやしひでお》、深《ふか》田久弥《だきゅうやら》等がいた。この頃《ころ》、ツルゲーネフ、ハウプトマン、シュニッツレル等、フランス象徴派《しょうちょうは》詩人の作品を読む。また、ショウペンハウエルやニーチェ等の哲学書《てつがくしょ》にも親しむ。

大正十二年（一九二三・十九歳）一月、萩原朔《はぎわらさく》太郎《たろう》の『青猫《あおねこ》』を耽読《たんどく》。五月、三中校長広瀬雄《ひろせたけし》に連れられ、田端《たばた》の室生犀星《むろうさいせい》を訪問。八月、室生犀星に伴われ、初めて軽井沢《かるいざわ》に滞在《たいざい》。九月、関東大震災《だいしんさい》に遭《あ》い、母を喪《うしな》う。葛飾《かつしか》の四ツ木村に父と仮寓《かぐう》。十月、室生犀星に芥川龍之介《あくたがわりゅうのすけ》を紹介《しょうかい》される。冬、胸を病《や》み休学。

大正十三年（一九二四・二十歳）四月、向島新小梅町の焼跡《やけあと》に家を建て移り住む。七月、金沢の室生犀星のもとに滞在。八月、帰路軽井沢の芥川龍之介のもとに立ち寄る。詩やエッセイを『校友会雑誌』に発表。

大正十四年（一九二五・二十一歳）三月、第一高等学校卒業。四月、東京帝国《ていこく》大学文学部国文科に入学。田端の萩原朔太郎を訪問。室生犀星家で中野《なかの》

重治《しげはる》、窪川鶴次郎《くぼかわつるじろう》、平木二六《ひらきにろく》等を知る。六月より三カ月軽井沢に滞在。スタンダール、メリメ、アナトール・フランス、レニエ、ジッド等の作品に親しんだ。

大正十五年・昭和元年（一九二六・二十二歳）コクトオ、アポリネール、ラディゲ等に親しみ始める。四月、雑誌『驢馬《ろば》』を創刊、同人は中野重治、平木二六、窪川鶴次郎等。昭和三年五月の終刊に至る間、詩、エッセイ、アポリネールやコクトオ等の訳詩を発表。

昭和二年（一九二七・二十三歳）二月、「ルウベンスの偽画《ぎが》」（前半）を『山繭《やままゆ》』に発表。七月、芥川龍之介の自殺に大きなショックを受けた。十二月、肋膜炎《ろくまくえん》を患《わずら》い死に瀕《ひん》した。三年四月まで休学。

昭和三年（一九二八・二十四歳）四月、湯河原で静養。八月、軽井沢に行く。

昭和四年（一九二九・二十五歳）三月、東京帝国大学を卒業。卒業論文は「芥川龍之介」。四月、翻訳《ほんやく》『コクトオ抄《しょう》』を刊行。十月、犬養健《いぬかいたける》、川端康成《かわばたやすなり》、横光利一《よこみつりいち》、永井龍男《ながいたつお》、深田久弥等と雑誌『文学』を第一書房《だいいちしょぼう》より創刊。

二月、「不器用な天使」（文芸春秋《ぶんげいしゅんじゅう》）十月、「眠《ねむ》っている男」（文学、後に「眠れる人」と改題）

『コクトオ抄』翻訳（四月、厚生閣《こうせいかく》書店刊）

昭和五年（一九三〇・二十六歳）七月、処女短編集『不器用な天使』を改造社より刊行。八月、軽井沢に滞在。十月、喀血《かっけつ》し、向島の自宅で療養《りょうよう》。この頃から本格的に小説を発表し始めた。

二月、エッセイ「レエモン・ラジゲ」（文学）三月、エッセイ「室生犀星の小説と詩」（新潮、後に「室生さんへの手紙」と改題）五月、定稿《ていこう》「ルウベンスの偽画」（作品）十月、「窓」（文学時代）十一月、「聖家族」（改造）

『不器用な天使』短編集（七月、改造社刊）

昭和六年（一九三一・二十七歳）四月、長野県富士見《ふじみ》高原療養所に入院。プルウストの「失われた時を求めて」を読み始める。六月、療養所を退院。八月から翌月にかけ軽井沢に滞在。十月、帰京後も絶対安静。

十二月、「恢復期《かいふくき》」（改造）「あひびき」（文科）

昭和七年（一九三二・二十八歳）二月、『聖家

族』を江川《えがわ》書房より刊行。夏、軽井沢に滞在。秋、定期的発熱のため、一カ月ほど臥床《がしょう》。十二月、神戸《こうべ》へ赴《おもむ》く。

一月、「燃ゆる頰《ほお》」（文芸春秋） 三月、「花売り娘《むすめ》」（婦人画報、後に「Say it with Flowers」と改題） 五月、「馬車を待つ間」（新潮） 八月、小品「花を持てる女」初稿（文学界） エッセイ「プルウスト雑記」（新潮、後に「三つの手紙」と改題） 九月、「麦藁帽子《むぎわらぼうし》」（日本公論） エッセイ「芥川龍之介の書翰《しょかん》に就《つ》いて」（帝国大学新聞） 十月、小品「エトランジェ」（婦人サロン）

『聖家族』（二月、江川書房刊）

昭和八年（一九三三・二十九歳） 二月、短編集『ルウベンスの偽画』を江川書房より刊行。五月、季刊『四季』を創刊したが、二号で廃刊《はいかん》。六月、軽井沢へ行く。九月、「美しい村」の各章を書き終え、軽井沢より帰京。この頃、立原道造《たちはらみちぞう》を知る。十月、「美しい村」を『改造』に、「夏」を『文芸春秋』に、「暗い道」を『週刊朝日』に発表（「序曲」「美しい村」「夏」「暗い道」の四章で「美しい村」は完成）。十二月、短編集『麦藁帽子』を四季社より刊行。

一月、「顔」（文芸春秋） 小品「春浅き日に」（帝国大学新聞） 五月、エッセイ「プルウスト覚書」（新潮、後に「覚書」と改題） 六月、「山からの手紙」（大阪朝日、後に「序曲」と改題） 八月、エッセイ「フローラとフォーナ」（新潮） 九月、「旅の絵」（新潮） 十月、「美しい村」（改造）「夏」（文芸春秋）「暗い道」（週刊朝日）

『ルウベンスの偽画』短編集（二月、江川書房刊）

『麦藁帽子』短編集（十二月、四季社刊）

昭和九年（一九三四・三十歳） 四月、『美しい村』を野田書房より刊行。五月、リルケの「マルテの手記」を読み、モーリヤックに親しみ始めた。七月、信濃追分《しなのおいわけ》の油屋旅館へ行き、十二月まで滞在。九月、前年軽井沢で知り合った矢野綾子《あやこ》と婚約《こんやく》。十月、三好達治《みよしたつじ》、丸山薫《まるやまかおる》と共に詩誌『四季』を復刊。

一月、「鳥料理」（行動） 二月、「昼顔」（若草）「挿話《そうわ》」（文芸、後に「秋」と改題） 七月、エッセイ「小説のことなど」（新潮） 十月、

「物語の女」（文芸春秋、後に改稿して「楡《にれ》の家」第一部）
『美しい村』（四月、野田書房刊）
『物語の女』短編集（十一月、山本書店刊）

昭和十年（一九三五・三十一歳）六月、『四季』を日本で最初のリルケ特集号として編集。七月、許《いい》嫁《なずけ》と共に富士見の療養所に入った。十二月、矢野綾子死去。

一月、小品「匈奴《ふんぬ》の森など」（新潮）二月、エッセイ「リルケの手紙」（四季、三月完結、後に「巴里《パリ》の手紙」と改題）四月、エッセイ「リルケ雑記」（文芸、後に「リルケとロダン」更《さら》に「日時計の天使」と改題）六月、エッセイ「或《ある》女友達《ともだち》への手紙」（四季）「リルケ年譜」（四季）

昭和十一年（一九三六・三十二歳）三月、小品・エッセイ集『狐《きつね》の手套《てぶくろ》』を野田書房より刊行。七月、信濃追分に行き翌年まで油屋に滞在。リルケの「レクイエム」を読み、レンブラントの画集に親しんだ。秋、「風立ちぬ」執筆《しっぴつ》開始。十二月、「風立ちぬ」（「序曲」「風立ちぬ」の二章）を『改造』に発表。以後「風立ちぬ」の各章は断続的に発表され完成した。

五月、エッセイ「更級《さらしな》日記など」（文芸懇話《こんわ》会《かい》、後に「問に答えて」と改題）六月、小品「緑葉歎《たん》」（セルパン）エッセイ「ヴェランダにて」（新潮）十二月、「風立ちぬ」（改造）
『狐の手套』（三月、野田書房刊）
『贋救世主《にせきゅうせいしゅ》アンフィオン』共訳（九月、野田書房刊）

昭和十二年（一九三七・三十三歳）一月、「冬」（「風立ちぬ」の一章）を『文芸春秋』に発表。三月、「婚約」（後に「春」と改題、「風立ちぬ」の一章）を『新女苑《えん》』に発表。六月、初めて京都に旅行。短編集『風立ちぬ』を新潮社より刊行。七月、東京に帰り、数日して信濃追分に赴く。十一月、「かげろふの日記」脱稿し、郵送のため軽井沢に出て、翌日追分に帰ると油屋が焼失していた。軽井沢の川端康成の別荘《べっそう》に移る。

一月、小品・エッセイ集「雉子《きじ》日記」（都新聞）「冬」（文芸春秋）二月、小品「ミュゾオの館《やかた》」（帝国大学新聞、後に「続雉子日記」と改題）三月、「婚約」（新女苑、後に「春」と改題）六月、小品「春日遅々《しゅんじつちち》」（文芸）九月、小品「夏の手紙」（新潮）十月、小品「牧歌」（書窓）十二月、「かげろふの日記」（改造）

『風立ちぬ』短編集（六月、新潮社刊）

『雉子日記』（八月、野田書房刊）

昭和十三年（一九三八・三十四歳）一月、東京に戻《もど》る。二月、喀血し鎌倉《かまくら》の額田《ぬかだ》保養院に入院。三月、退院。「死のかげの谷」を『新潮』に発表（「序曲」「春」「風立ちぬ」「冬」「死のかげの谷」の四章で「風立ちぬ」は完成）。四月、加藤多恵子《たえこ》と結婚。五月、軽井沢愛宕《あたご》山に新居を定めた。十月、軽井沢を出て、神奈川県逗子《かながわけんずし》の山下三郎の別荘に行く。十二月、養父死去。

三月、「死のかげの谷」（新潮）六月、小品「卜居《ぼっきょ》」（知性）七月、小品「日記抄」（東京朝日新聞、後に「雨後」と改題）八月、「山村雑記」（新潮、後に「七つの手紙」と改題）九月、小品「巣立《すだ》ち」（新女苑）「幼年時代」（むらさき、十四年四月まで）十月、小品「山日記」（文学界）

『風立ちぬ』（四月、野田書房刊）

昭和十四年（一九三九・三十五歳）三月、鎌倉小町に転居。五月、神西清と奈良《なら》旅行。『燃ゆる頬』を新潮社より刊行。六月、『かげろふの日記』を創元社より刊行。七月、軽井沢で静養。九月、夫人と野尻湖《のじりこ》に遊ぶ。

二月、「ほととぎす」（文芸春秋）五月、小品「麦秋《ばくしゅう》」（新女苑、後に「おもかげ」と改題）十一月、小品「窪川稲子《いねこ》との往復書簡」（文芸、後に「美しかれ、悲しかれ」と改題）

『燃ゆる頬』短編集（五月、新潮社刊）

『かげろふの日記』（六月、創元社刊）

昭和十五年（一九四〇・三十六歳）三月、東京杉並区成宗《すぎなみくなりむね》に転居。六月、信濃追分に行く。八月、野尻湖に遊ぶ。秋、東京に帰る。十月、『堀辰雄詩集』を山本書店より刊行。

六月、エッセイ「魂《たましい》を鎮《しず》める歌」（文芸、後に「伊勢《いせ》物語など」と改題）小品「木の十字架《か》」（知性）七月、「姨捨《おばすて》」（文芸春秋）九月、「野尻」（婦人公論、後に「晩夏」と改題）

『雉子日記』作品集（七月、河出書房刊）

『堀辰雄詩集』詩集（十月、山本書店刊）

昭和十六年（一九四一・三十七歳）五月、更級《さらしな》の里に、姨捨山を見に行き、木曾路《きそじ》にも寄る。七月、軽井沢に行く。八月、エッセイ「姨捨記」を『文学界』に発表。十月、奈良に遊ぶ。十一月、『菜穂《なお》子《こ》』を創元社より刊行。十二月、奈良に引返し、倉《くら》敷《しき》の美術館まで足をのばす。月末、軽井沢へ行く。

一月、「朴《ほお》の咲《さ》く頃」（文芸春秋）三月、「菜穂子」（中央公論）七月、エッセイ「黒髪《くろかみ》山」（改造）八月、エッセイ「姨捨記」（文学界、後に「更級日記」と改題）九月、「目覚《めざ》め」（文学界、後に「楡の家」第二部となる）十月、小品「絵はがき」（新女苑、後に「四葉の苜《うま》蓿《ごやし》」と改題）十二月、「曠野《あらの》」（改造）

『晩夏』短編集（九月、甲鳥書林刊）

『菜穂子』（十一月、創元社刊）

昭和十七年（一九四二・三十八歳）七月、軽井沢に行き月末に帰京。九月、軽井沢に行く。十月、信濃追分で病臥《びょうが》、帰京。この年、『菜穂子』により第一回中央公論社文芸賞を受賞。

八月、定稿小品「花を持てる女」（文学界）

『幼年時代』（八月、青磁社刊）

昭和十八年（一九四三・三十九歳）二月、森達郎と志賀高原に遊ぶ。三月、夫人と木曾路を経て大和《やまと》の浄瑠璃寺《じょうるりじ》や室生寺を訪《おとず》れた。五月、京都に行く。夏、軽井沢にて過ごす。

一月、「ふるさとびと」（新潮）小品「大和路・信濃路」（婦人公論、一、二月「十月」、三月「古墳《こふん》」、四月「斑雪《はだれ》」、五月「橇《そり》の上にて」、六月「辛夷《こぶし》の花」、七月「浄瑠璃寺の春」、八月「死者の書」）

昭和十九年（一九四四・四十歳）三月、数回にわたり喀血、五月まで絶対安静。六月、軽井沢に行く。九月、信濃追分の油屋の隣《となり》に転居。

一月、小品「樹下《じゅか》」（文芸）

『曠野』作品集（九月、養徳社刊）

昭和二十年（一九四五・四十一歳）療養に専念。

昭和二十一年（一九四六・四十二歳）五月、『堀辰雄作品集』の打合せのため上京、帰って床《とこ》につき、以後病床生活を続けた。七月、『堀辰雄作品集』刊行。

三月、「雪の上の足跡」（新潮）八月、小品

「若い人達」（高原、後に「Ein Zwei Drei」と改題）
『花あしび』（三月、青磁社刊）
『堀辰雄作品集』全八巻（七月〜二十六年六月、角川書店刊）

昭和二十二年（一九四七・四十三歳）一月、喀血の後、少しずつ元気をとり戻す。

昭和二十三年（一九四八・四十四歳）
九月、エッセイ「三つの手紙」（表現、その㈡は後に「『古代感愛集』読後」と改題）

昭和二十四年（一九四九・四十五歳）
『あひびき』短編集（三月、文芸春秋新社刊）
『牧歌』短編集（八月、早川書店刊）

昭和二十五年（一九五〇・四十六歳）十月、シュペルヴィエルやエリュアールの詩等を毎日二、三編ずつ読む。十一月、脳貧血的症状《のうひんけつてきしょうじょう》のため寝《ね》たきりで、支那《しな》の花譜《かふ》のようなものを見るのを唯一《ゆいいつ》の楽しみとした。

昭和二十六年（一九五一・四十七歳）七月、追分に新居を建て移る。

昭和二十七年（一九五二・四十八歳）この年、リルケ関係の本を読んだりしながら療養に努めた。

昭和二十八年（一九五三）五月二十八日死去。三十日、信濃追分の自宅で仮葬《かそう》。六月三日、東京芝《しば》の増上寺《ぞうじょうじ》で、川端康成葬儀《そうぎ》委員長のもとに告別式を執行《しっこう》。（二十九年、多磨《たま》墓地に埋葬《まいそう》）

〔この年譜は編集部で作成した〕

堀 辰雄著　**大和路・信濃路**

旅の感動を率直に綴る「大和路」「信濃路」など、堀文学を理解するための重要な鍵であり、その思索と文学的成長を示すエッセイと小品。

室生犀星著　**杏っ子**　読売文学賞受賞

野性を秘めた杏っ子の成長と流転を描いて、父と娘の絆、女の愛と執念を追究し、また自らの生涯をも回顧した長編小説。晩年の名作。

福永武彦編　**室生犀星詩集**

幸薄い生い立ちのなかで詩に託した赤裸々な告白――精選された187編からほとばしる抒情は詩を愛する人の心に静かに沁み入るだろう。

吉田凞生編　**中原中也詩集**

生と死のあわいを漂いながら、失われて二度とかえらぬものへの想いをうたいつづけた中也。甘美で哀切な詩情が胸をうつ。

河上徹太郎編　**萩原朔太郎詩集**

孤独と焦燥に悩む青春の心象風景を写し出した第一詩集「月に吠える」をはじめ、孤高の象徴派詩人の代表的詩集から厳選された名編。

永井龍男著　**青梅雨**　野間文芸賞受賞

一家心中を決意した家族の間に通い合うやさしさを描いた表題作など、人生の断面を彫琢を極めた文章で鮮やかに捉えた珠玉の13編。

福永武彦著

草の花

あまりにも研ぎ澄まされた理知ゆえに、友を、恋人を失った彼——孤独な魂の愛と死を、透明な時間の中に昇華させた、青春の鎮魂歌。

福永武彦著

忘却の河

中年夫婦の愛の挫折と、その娘たちの直面する愛の不在……愛と孤独を追究して、今も鮮烈な傑作長編。池澤夏樹氏のエッセイを収録。

福永武彦著

愛の試み

人間の孤独と愛についての著者の深い思索の跡を綴るエッセイ。愛の諸相を分析し、愛の問題に直面する人々に示唆と力を与える名著。

小林秀雄著

Xへの手紙・私小説論

批評家としての最初の揺るぎない立場を確立した「様々なる意匠」、人生観、現代芸術論などを鋭く捉えた「Xへの手紙」など多彩な一巻。

小林秀雄著

ドストエフスキイの生活

文学界賞受賞

ペトラシェフスキイ事件連座、シベリヤ流謫、恋愛、結婚、賭博——不世出の文豪の魂に迫り、漂泊の人生を的確に捉えた不滅の労作。

小林秀雄著

モオツァルト・無常という事

批評という形式に潜むあらゆる可能性を提示する「モオツァルト」、自らの宿命のかなしい主調音を奏でる連作「無常という事」等14編。

芥川龍之介著

戯作三昧・一塊《いっかい》の土

江戸末期に、市井にあって芸術至上主義を貫いた滝沢馬琴に、自己の思想や問題を託した「戯作三昧」、他に「枯野抄」等全13編を収録。

芥川龍之介著

河童・或阿呆《あるあほう》の一生

珍妙な河童社会を通して自身の問題を切実にさらした「河童」、自らの芸術と生涯を凝縮した「或阿呆の一生」等、最晩年の傑作6編。

有島武郎著

小さき者へ・生れ出づる悩み

病死した最愛の妻が残した小さき子らに、歴史の未来をたくそうとする慈愛に満ちた「小さき者へ」に「生れ出づる悩み」を併録する。

有島武郎著

或る女

近代的自我の芽生えた明治時代に、封建的な社会に反逆し、自由奔放に生きようとして敗れる一人の女性を描くリアリズム文学の秀作。

志賀直哉著

和解

長年の父子の相剋のあとに、主人公順吉がようやく父と和解するまでの複雑な感情の動きをたどり、人間にとっての愛を探る傑作中編。

志賀直哉著

小僧の神様・城の崎にて

円熟期の作品から厳選された短編集。交通事故の予後療養に赴いた折の実際の出来事を清澄な目で凝視した「城の崎にて」等18編。

新潮文庫最新刊

早坂 吝 著

VR浮遊館の謎
—探偵AIのリアル・ディープラーニング—

探偵AI×魔法使いの館！ VRゲーム内で勃発した連続猟奇殺人!? 館の謎を解き、脱出できるのか。新感覚推理バトルの超新星《スーパーノヴァ》！

E・アンダースン 矢口 誠 訳

夜の人々

脱獄した強盗犯の若者とその恋人の、ひりつくような愛と逃亡の物語。R・チャンドラーが激賞した作家によるノワール小説の名品。

本橋信宏 著

上野アンダーグラウンド

視点を変えれば、街の見方はこんなにも変わる。誰もが知る上野という街には、現代の魔境として多くの秘密と混沌が眠っていた……。

G・ケイン 濱野大道 訳

AI監獄ウイグル

監視カメラや行動履歴。中国新疆ではAIが〝将来の犯罪者〟を予想し、無実の人が収容所に送られていた。衝撃のノンフィクション。

高井浩章 著

おカネの教室
—僕らがおかしなクラブで学んだ秘密—

経済の仕組みを知る事は世界で戦う武器となる。謎のクラブ顧問と中学生の対話を通してお金の生きた知識が身につく学べる青春小説。

早野龍五 著

「科学的」は武器になる
—世界を生き抜くための思考法—

世界的物理学者がサイエンスマインドの大切さを語る。流言の飛び交う不確実性の時代に、正しい判断をするための強力な羅針盤。

風《かぜ》立《た》ちぬ・美《うつく》しい村《むら》

新潮文庫　ほ-1-2

昭和二十六年　一月二十五日　発　行
平成二十三年　十月　五日　百十五刷改版
令和　六　年　四月　五日　百二十九刷

著者　堀《ほり》辰《たつ》雄《お》

発行者　佐藤隆信

発行所　株式会社　新潮社

郵便番号　一六二―八七一一
東京都新宿区矢来町七一
電話　編集部(〇三)三二六六―五四四〇
　　　読者係(〇三)三二六六―五一一一
https://www.shinchosha.co.jp

価格はカバーに表示してあります。

乱丁・落丁本は、ご面倒ですが小社読者係宛ご送付ください。送料小社負担にてお取替えいたします。

印刷・三晃印刷株式会社　製本・株式会社植木製本所
Printed in Japan

ISBN978-4-10-100402-0 C0193